JN136098

東亜新秩序の先駆
森恪
補遺

樋口正士

東亜新秩序の先駆　森恪　補遺

目次

はじめに

森恪の思考を理解するには彼の書簡を通覧する事は必須であろう。その内容たるや多岐に亘り止まるところを知らない。

政界に入ってからの重要書簡が殆んど残っていないのは、森が政界に入る前後二度自ら書類を焼却した事実があったそうで、その故となされている。

森の包括する見解、認識のなんと壮大なるものかを読者の方々は抱かれるに相違ない。その上、現代の日本にも通ずる点多大なるものがある事も実感されることであろう。

読者の皆さんは自らの夫人に手紙を書かれたことが幾度おありになろうか。遠く異国にあったからと言えなくもないが、国内からも記している。

家庭観、育児観に森の独特なる見解を垣間見ることが出来る。

また、一本の手紙を書くにも、夫人、縁者、朋友、部下への書簡では、いつもその結果を幾通りにも考慮し、先手を打って結論を述べるのが森のやり方であった。

他方、父作太郎翁からの手紙にしても、国士が抱懐する感慨を、傍観するに耐えぬ国家観、政治観を、我が子に十二分に薫陶し託す様が生き生きと感じられるではなかろうか。又、その見解たるや偉大なり。この親にしてこの子あり、である。

なお、以下括弧［　］内は著者の註である。

ゴシック文字・——を引いた所は著者が強調したきところである。

註：森がしばしば用いている言語に「舌代」（ぜつだい・しただい）がある。

一　口頭で伝える代わりに書いた、短いあいさつ。

二　「申し上げます」の意で、あいさつや値段表などの初めに書く語。

文叢篇

第一章　手簡

一　栄枝夫人への手紙

註：森は支那と日本を往来し、支那革命に際会し活躍したり、国策的見地から幾多の事業を興し苦悩して行く過程に於いて、多忙の中にも絶えず夫人に所感を書き送っている。中々凡人には出来る事ではない。幾多の手紙の中から著者が心に留めた数編を紹介しよう。

○

《東亜連邦を論ず》

註：この手紙は当時の森の思想を知る上に好適な資料である。当時の理想は**東亜連邦**にあった。家庭観も育児観もすべてその理想を目標とした全体意識に立っていたものである事に注意していただきたい。

舌代

余が近来埃及（エジプト）の研究を初めつゝある事は、先日上海より『The White Prophet』といえる書を瓜生母堂に贈りたる事によりて汝の知れるところ成るべし。

余の研究は段々と進みて、今や支那統一策の上に一つの断案をすら下さんとするの大胆を敢えてせんとするに至れり。

余は今「クローマー」の著書を読みつゝあるが、余の感慨は計らずも余をして書を閉じてこの筆を執らしむるに至れり。

汝も早く知りたるところ成らんか、余は東亜連邦を企画し、その第一歩として先ず支那の開拓に努力し居る次第なるが、今や余が数年来の努力の結果は、余に取りて痛恨なる断案に到達するに至れり。

即ち、海外の発展に経験少なき東洋人の社会にありて、この種の事業を成さんと欲せば、徹頭徹尾、政治的権勢を使用するに非ざれば到底著しき効果を挙げるを得ざる事これなり。然り而して、凡衆の天下となりたる今の日本の政治界では、真実かゝる大志を懐く中心的人物なきを以て、この任務はこれを吾人自らの上に発見せざるべからず理なれども、吾人が今よりこの社会に入らんと欲するためには、吾人の年令はその準備の余裕を与えざるを以て、この希望は全く不可能事にして、吾人は充分なる効果を得ざる事を知りつゝも尚従来の方針を進み行きて、ただ来らん者のために埋め草たるに甘んじ、この任務は遺憾ながらこれを吾人らの後継者の間に求めざるべからざるに至れり。即ち、年少者の間に大器の出て来る事を期待するの已むなきに居たらし也。

余は事業の後継者を自己の血族的後継者に求めんとするものにあらざる事は、汝の既に知れるところなり。然れども余の血族的後継者にして幸いに天分これに適するものあらば、彼も又余の志業の後継者たることを求むるの権利を保有する事勿論なり。余の汝に期待するところは即ちこの点なり。

余は新（あらた）［長男］の天分の大小を知るの明なく、又これを知らんとするの興味を有せず。然れども、汝は彼を育成してこの域に到達せしむべき責任を有せり。これ余が汝に託したる唯一の希望なり。

余が家庭又社交の快味を喫するを願わず、この種の事は挙げて捨てゝ顧ざるは汝の知れるところなり。汝の心より余を去るべし。只余の志を体得して、全力を新の教育に傾注すべし。現在及び将来に於いて汝のなすべき仕事は、只この一点にあるべし。これ豈女子として有する最大の事業に非ずや。汝がこれを完成せんと欲せば、汝自ら先ず堅志重厚の人と化せざるべからず。動の人たらずして静の人とならざるべからず。事や長くして大なり。

己を捨て、一切を犠牲として全精神をこの上に置くに非ざれば、到底成就し得べきものに非ず。汝の秒時、汝の一銭、汝の一念、一語、一行も敢えてこれ以外に亘らしめざるの決意なかるべからず。時あらば歴史を読むべし、友を欲すれば偉人伝を読むべし。銭あらばすべて貯金すべし。一銭と雖も不必要の事に供すべからず。人を作りたるは物質の供給によるものに非ざる事は、世人皆これを解すれども、能くこれを実行する者少なし。日本の今の社会は大器を作るに適せず、今の社会の人々は汝に何らの参考資料を与えざるのみならず、反りて汝を凡庸化す。

汝は既にこの大志を有す。世と離れ、人と断つの覚悟なかるべからず。静思万慮大いに工夫し、強く修養すべし。汝自らの教養はすべて歴史と偉人伝の上に求むれば可ならん。書してこゝに至る。余の求むるところは、或は婦女子にとりては大に過ぐるやも知れざれども、志業の前途を考慮すれば又已むを得ざる也。汝不幸にして余に嫁したるを以て、世人の如く家庭の生活を味うこと能わず。この点は余も又私に汝のために気の毒に思えり。

さりながら余一身を忘れ、汝らを捨てゝ国のために努力し、汝は家にありて後継者の育成に全力を傾注して、余の志業のために備えるところあらんとす。これ豈人生の一快事にあらずして何んぞや。

大正五年八月二十日

北京・交民巷

恪

栄　枝　殿

○

《子供の教育について》

註：次ぎの四通は子供の教育について栄枝夫人に与えた訓示である。皆さんは如何様に捉えられるであろうか。

御手紙昨日入手致候が暇なくして返事致さざりき。御健康も先ず先ず大事に至らざる様子欣喜致候。去りながら油断不可相成候。久しぶりに新［長男］に御面会相成御喜びの程遥察致候。親ならでは子は育たぬものとの御来示同感也。親の字の上に女と申す字を加うるの必要あるべし。特に英物を作らんとせば女親の力によらざるべからずと深く相信じ申居候。小生の如きも母の手に育ち居たらんには必ずや偉人たり得たるべしと存候。惜しむべき限りに御座候。支那人昨日来着和田［正世氏］も来り高木［陸郎氏］も帰り近く桃冲より四人程帰着致す筈、日夜雑事に追われ申居候。　匆々

大正五年十一月十三日

東京ステーションホテル

恪

小田原・瓜生邸

森栄枝殿

○

先日は御邪魔致候。その許の暮方大いに満足に御座候。小生をして素志を貫徹せしむる事が、その許の第一の目的にして、新［長男］を英雄に育て挙げる事が第二の目的なるべし。第一の目的は、小生をしてすべて自由ならしめ、その許並びに新らに関し、少しも心を労せしめざる事を工夫すれば事足り可申候。第二の目的は一大事なり。恐らくはその許の全勢力を傾注する必要あるべし。子供を育てることは金や設備、境遇の問題に非ざる事を、御記憶可相成、要は精神と意志の力にあるべし。

「汝が百エーカーの田地を所有せんよりは、この一部のバイブルを所有せんことを望む」と遺言したる「リンカーンの母」の意気を以てすれば可成りと存候。

凡庸の児を得ん事は小生の希望に非ず、凡物ならば寧ろこれを殺すを善とす。

新の様子を見るに、或は教育に耐える逸物なるべしとの幾分のHopeを得たり。

このHopeを得たることは汝にとりて百万の力なり。いわゆる天の恵なり。汝は大に専ら心を新にして、英雄を作る事業に全力全心を傾注し、他の一切を挙げて犠牲とすべし。

瓜生母上御病気に付き、先日鈴木氏の診察は頗る簡単なるものなり。要は節食不十分の結果故、大事に小心にすれば当然と快方に向かうべし。少しでも快方になれば軽挙を戒むるにあり。畢竟、風邪が度重なりしに過ぎずとの事なりき。

阿久津博士の事は本朝小柴君［英侍氏］わざわざ取り調べ呉れたり。必要あらば往診を請うるに致し度く

（小生よりこの費用は支出可致）と存居候。何れこの事は小柴より詳報ある筈なり。

匆々

大正五年四月六日

東京・帝国ホテル

恪

小田原

森　栄　枝　殿

〇

一昨夜旅行より帰りて御手紙入手致候。金壹千円也台湾銀行小切手御届け致候間御入手の上は御一報可相成候。毎々申入候事なるが御身は隠士、貧士の妻たる心を以て御暮相成度月々の費用の如きも百円を超過する様にては心得宜布からざるものと御覚悟可相成候。小生の志は隆々として世に出可申も小生の生涯は誠に不遇の間に畢わり始終心労を以て自己の志念に殉ずる事と存候。

余は汝が世を断ちすべてを放れて只新の教養に全力を注がん事を希望す。

匆々

大正六年七月二十七日

北京・東交民巷

恪

小田原

森　栄　枝　殿（書留便）

○

只今書物を読み行く中、その間より一作少年〔加藤一作氏・加藤彦左衛門氏の曾孫〕の手紙出たり。感興少なからざる故、御眼にかけ候。金玉の文字とはかくの如きを申すなるべし。十六歳の少年が老祖父母を相手に一家の柱石となりて働きつゝある真情誠に欣快至極に候。余は余が育ちたる旧山野をして永くこの平和を保たしめん事を願う。これと関連して想起するは死に臨める「リンカーンの母」の言なり。

「我が愛児よ、余は汝が百エーカーの田地を所有せんよりは、汝がこの一部のバイブルを所有せんことを望む」と。右はかつて御耳に入れし事あるも、一作の手紙を見て偶然に思はこの言に馳せたり。

物質上我慾志望の熾烈なる今日にありては我らは汝が均にこの言を味わい、育児に資せん事を祈る。

匆々

大正八年十月二十五日

東京・森恪事務所

恪

小田原

栄　枝　殿

二　藤井元一氏への手紙

註：次ぎの二通は森恪事務所の事業に専念し、傍ら政界乗り出しの準備を進めようとした頃の手紙である。森はこの年中日実業取締役を辞して支那を引き揚げ、秋には政友会に入党している。

○

拝啓十一日無事北京へ到着致候。丁度益田達君も来り合せ居り、甚だ都合宜布存候。桃冲の方は順調に進行致居り、七月に入らば大丈夫鉱石を出せる様子に御座候。
一、海州鉱山の件。井坂［秀雄氏］も氷塊致候。詮ずるところ、小生の書状を熟読せざりしに起因するものゝ如し。
一、益田達君は昨日上海経由、桃冲へ帰任致候。同君上海にて鉱山設備の用務を取り扱い呉れることに相成居候。
一、劉厚生、方履中もそれぞれ来京、何れも小生の独立には賛成、それぞれ仕事上の希望を申出で呉れ心丈夫に覚え候。小姑山、鐘山の鉱石販売契約は多分本月一杯に農商務に通過と可相成見込に御座候。
一、楊士埼とも会見致候。この人物は依然として一種の勢力を保有し、寧ろ或る意味によれば梁士詒以上の勢力あるやに観察致候。門前市をなし居る有様なり。
一、北海製鉄との契約草案、昨夜起草して本状と共に加封致置候。御清書の上一色君に御届け願上候。何れ小生帰朝の砌り更に説明致す由申入れ下され度候。
一、小林技師が新たに発見したる南京の鉄山、高木君［陸郎氏］と共同経営となりたる件の、和田君［正世氏］より小生宛出状写は一応小柴君［英侍氏］に御見せ下され度候。小柴君には鉄に関する書類はその都度御見せ下され候方好都合と存候。小林技師を当方の手に入るゝ様、小柴君には依頼致置候。尚この鉄山の事は極く内密に一色君にも御内報下され度候。（小生より申し越し来れりとて）
九日付貴書只今着。本文の山が即ち御来示の分に御座候。
一、東京事務所の裕繁公司の代理店の表札は一応御撤去下され、東京海上の方へも裕繁の名を取り、全部森恪事務所と致す様、御交渉下され度候。これは本状御覧の上直ちに御実行願上候。
一、和田君も辞表を出した由に申越候。この際すべて極まりをつくるが宜布と存候。
一、小生は二十六、七日頃には出発可得と存候。
一、運送公司の件は着匆々、葉恭綽に面会致度と存候ところ、栄士詒入京して例の通り、日本人を利用して宴会のデモンストレーションを連日連夜開催、昨日は天津に全部出払いたる様の次第。明日か明後日ならでは会見出ぬやに存居候。従って只今のところ、出来るや否や見込み相立不申候。
一、小貫君は小生帰着まで東京に止まり呉れる様御序に御口添願上候。
一、小生二十九日か三十日に東京着として帝国ホテルの部屋用意致候様塩津［帝国ホテルの森の担当ボーイ］に御申付願上候。

匆々

大正七年四月十四日

北京

森　恪

東京・森恪事務所
藤　井　兄
○

拝啓

李士偉［中日実業総裁］一行は明後二十三日夜出立、東京へ直行致す由に御座候。井坂君［秀雄氏］は帰朝を暫時延ばす事に致候。これは小生と両人出掛けて北京を空にする事は好ましからぬ故に御座候。北京に居れば何かと仕事が眼にちらつき帰朝するは惜しき様な心地致候。

運送会社の件は葉恭綽が段祺瑞と共に漢口に参りたる故、帰燕する迄待って呉れと申出候。そのため小生が予定したる二十六、七日に北京出発の事不可能と相成候。自然小生の出立は五月四、五日頃と相成可申乎帝国ホテルの方は十日頃に帰着する事に御訂正願上候。

北京は宴会のみに有之、梁や葉も何も用事が出来ず、当方の件も碌々協議する暇も無き由なり。目下葉の子分共が参考書類の翻訳や案文の組み立てをなし居る由なり。支那の仕事故あせるは不利と存じ忍耐致居候。井坂は和田［正世氏］と打合せのため上海に行き二十七日には帰任致す筈なり。

貴君より音信少なき様の心地致候。小生他行中は一日一信位の事に御含み下度候。

匆々

大正七年四月二十一日

北京
恪

東京・森恪事務所

藤　井　君

○

註：関西の政友会大会に臨んだ時の手紙。松野鶴平氏の補欠選挙の際、初めての応援演説のため熊本まで赴いたその帰途の事らしい。選挙演説の苦労が偲ばれる手紙なり。支那問題を解決するために代議士になった決意が表れている。

○

拝啓

御手紙それぞれ拝見致候。小生は七日の夜の大会をすませ、八日には有馬に父を訪い、同夜大阪発帰京の事に可致候。楢崎君には右様御伝へ願上候。

炭坑報告書には図面付属無御座候。これは予備御持合なき故と推察致候。大阪商船とは明後日交渉可得致と存候。日に三回又は二回宛演説、暑さの折柄実以て御苦労至極、本年中には一人前になれる見込み充分に候。こんな調子故、支那問題が分かる連中は政治上に力を得られぬ也と悟を得たり。吾人は如何なる犠牲苦労を払っても一人前物の言える人間となって、吾人の手によりて支那問題解決をやらねばならぬと強き決心相生じ申候。蓋し今の連中では十年百年到底その希望を嘱するに足らざるが故に御座候。但し吾人前途にも多々障害困難百出可致、充分なる用意を必要と致す次第に御座候。自重せざるべからずと覚悟致居候。幸に元気旺盛なり。御放慮を乞う。　頓首

大正八年九月四日　　　恪

東京森恪事務所

藤　井　兄

各位に宜敷

本夜は田舎宿りに候。

註：中華民国に対して二十一ヵ条の要求を提出したのが一九一五（大正四）年一月のことである。文中に三井物産を辞する意を洩らしているが、辞したのは同年七月であった。

三　松山小三郎氏への手紙

○

拝啓

十三日の貴状拝見致し今度の日支事件では貴地は大分に騒がしたる御様子又御同情申上候。当地は御膝下として面白き芝居を見申候。小生本件には当初より関係有之、能き経験致候。日支問題は僅にその序幕に入りたるに過ぎずこれより一層複雑と相成可申やがて吾人の志を述べる時代も到達可致と存候。天津支店の事御来示相誦御案じ可成程の事でなし小生は一向歯牙に懸け居らず御安神可被下候。尤も小生は三井を辞する考え有之、先日帰朝の砌退社願出候も許可なく閉口致し本月又は来月初め帰朝して再応退社願出決行致す考に有之候。国勢支那に張らんとする現下の気運は吾人が運命を開拓する好個の機会と存候。　匆々

大正四年五月十七日

天津

恪

漢口

松　山　君

註：松山氏は一九二〇（大正九）年以来、東京・森恪事務所支配人である。

○

本年は小生の画策宜敷を得ず諸君特に貴君をして異常の心痛労苦せしめ誠に御気毒に存候。乍去成敗は人事の常なり能く苦境を突破して彼岸に達するを得べし。古来英雄何人か辛苦せざる。思うに吾人の意思の力は必ずや凡百の難事を制圧して素志貫徹の機運を展開せしむべし。泣かず騒がず、慌てず、悠々として難に耐

え而も普段の努力を以て静に順潮の来るに備えられたし。昨日の御指示に従い事務所費兎に角御届致候。若し不足ならば更に御届可致候御遠慮御無用小生は五十歩百歩なり御懸念なく御申出可被下候。　匆々

大正九年十二月二十九日朝　　　　　　　　　　　　　　　　　　　　　恪

東京

松　山　君

小生は明朝鎌倉行きと可致候。

四　加藤家に寄せる思慕

註：森は相州下怒田の加藤家で幼時を過ごした。彼の故郷はこゝにあるとも言って良い。加藤家の方々への配慮が垣間見れる。

［破れてなし］

……安心致候。自分も震災後内外多事と相成殆んど寧日なき有様なり。日本はこれよりますます困難なる国柄と可相成、各人が充分に勤倹にして思慮ある生活に立ち帰らざれば救うこと能わざるに至るべく、心あるものゝ奮励を要する次第に御座候。小林君［覚太郎、時事新報小田原通信員］の事は一応含み置き可申も、

この種の事は平常より申聞け候通りその許らの関係すべき事柄には無之、その許の心中は良く分かり居れども、この程度にて差し控ゆる事に致さるべし。誠夫君［親戚荏原中学校に通学］は高木家［陸郎氏］の都合も苦しからんと存候間、来月にも相成らば自分方へ引きとりて宜敷くと存候。これは充分研究考慮の上御来示可相成候。

匆々

大正十二年十一月十四日

恪

一　作　どの［足柄の加藤彦左衛門の曾孫。森は一作氏の成人に特に関心を有している］

自分方は来月中に牛込へ転居致候事に可相成と存候。家は小さき故誠夫君の来ることは万已むを得ざる場合がよろしからん。

○

御手紙入手致し候。皆様御達者にて欣快に存候。一作の眼病も宜敷由結構に存候。同人は加藤家に取りて最も大事に候。自重致呉れ候様御心添可被下候。十五、六日頃には多分貴地へ参れる事と存居候。何れ御報告可致候。

匆々

大正八年十一月四日

恪

加　藤　老　台［一作氏厳父市太郎氏］

一作事小生の方へ参度由申越候ところ、右は宜敷からず。人は先ず家業を守る事が一番安全なり。商業などして身を立て候ものは数千人の中に一人あるやなしのもの也。子供には立身した人の事のみ見えて失敗した多くの人の事は分からぬもの也。田舎に住む人には金持ちや役人は偉く見ゆるものなれど、これらの人は決して羨むべき連中に非ず、殆んど一生を心配の間に暮らすものなり。寧ろ父祖の業を守るを賢なりとすべし。一作も農事に努め候様御戒め相成度候。匆々

大正六年八月二日

北京

森

怒田

加藤老台［市太郎氏］

○

御手紙入手致候。本多氏は来訪ありたり。仕事の内容は幾分安全を欠くにあらずやと懸念致候。小生はこの仕事に関し無知識故、この事をよく知れる人物に紹介して、その意見を聞く事に致置き候。

横山氏［惣太郎氏、幼時の友人］依頼の軍人分会へ寄付の件は承知致候。只この種の企も兎角他に依頼するの思想強大なり。要は自立自己維持を本志とせざるべからず。この意見を基礎として御判断御来示相成事肝

要と存候。
　　　　　　　　　　　　　　　　　　　　　　　　　匆々
大正九年十一月三十日
　　　　　　　　　　　　　　　　　　　　　　　　恪
一　作　殿

五　三田直吉氏への手紙

註：三田直吉氏は森の末弟であり、作太郎翁の実家である三田家を相続している。

○

御手紙本日入手致候。御一同様御安静の由なりよりの事と欣喜致候。小生は御案内の如く小器に係らず一意君国を念として他を顧みぬ事に致居候間自然その許らが一族のために誠意を尽くされむ事最も心地よく覚え候。

当地母上様始め奉り皆々無事に候。御放慮可相成候。
　　　　　　　　　　　　　　　　　　　　　　　　　不一
昭和三年十月六日
　　　　　　　　　　　　　　　　　　　　　　　　恪

直どの

御手紙披見致候。暑中御勇健の由安心致候。小生も御来示の如く至極頑健に候。人間は働くことが一番保健法の様子に候。不平も言わず何事に対しても働いて打ち勝つを第一と存候。

匆々

昭和四年八月二十九日

恪

直吉殿

六　瓜生大将への手紙

註：小金氏が森の使者として伊東で病養している義父瓜生男爵の許へ持参した手紙。

拝啓

追々寒気加わり候ところ、御起居如何被為在候や御案じ申上候。御左右御伺のため栄枝参上仕候。田村博士、林氏らの所説を対照考察するにこの際伊東の如き東京と懸隔せる地に御養生被遊候事は望ましからず、今の間に断然御引揚被遊候方可然やに御座候。何卒、御高慮奉願候。餘は栄枝萬縷可任候。　匆々

大正十四年十一月十二日　　　　恪

瓜　生　大　人

昨日山本条太郎氏御両人に面会仕候節、藤本とか申す人が医師以外の療治に妙を得、藤瀬政次郎氏の如きもこの人の手にて恢復せし由にて、一応御様子を見せては如何と勧め申され候。御希望あらば、山本氏の方より同氏に交渉して呉れられ候事に申し居られ候。　再白

七　蒋介石への手紙

註：森が外務政務次官時代に蒋介石に宛てた手紙である。（藤井元一氏所有写）

庶民の我々には拝見することが出来ない手紙なり。

○

拝啓

先日親友劉厚生君敝国へ参られ候節、御手紙と御写真御託送被下拝見御厚情感謝仕候。貴将軍、ますます御多祥之段、東亜のため慶賀至極に御座候。劉君突然帰国相成、遂に御返事差上候機会を失し乍思失禮任候。よって小生代理として在上海藤井元一に本書を託して敬意を表し申候。藤井君は小生年来の同志に御座候間、何卒御引見重教相成度御依頼申上候。

我が国の政情は今や政友会内閣の出現により従来の貴族院方面の参加を拒絶し、純然たる党人政治と相成り、その対外方針の如きもいわゆる軍閥跋扈の弊はこゝに一掃さるゝ事と相成、田中総理は軍閥の代表に非ずして、寧ろ彼らを制抑するためにその威力を用いつゝある有様に御座候。小生も又御案内の如く故中山先生［孫文氏］とは深き関係あり、故桂太郎公に中山先生を引き合わせたるも小生に有之、貴国国民党とはこれ又深き因縁あり。自然貴我両国福祉に反する行動に対してはこれを排除し得る立場にありと確信致居候。終わりに臨み貴将軍の御健康を奉祈候。

頓首

昭和二年六月九日

東京

森　恪

蒋　介　石　将　軍

虎　皮　下

八　作太郎翁の手紙

註：父作太郎翁より恪宛ての手紙二通、栄枝夫人宛の一通。

息子恪に政治家としての薫陶を垂れている手紙は圧巻である。

国内外の私見を堂々と述べ、その上、大所高所的に見る中国観は言うに及ばず、世界観は何ということであろうか。

恪も素晴らしき父親を持ったものである。

また、息子嫁にまで、教訓を垂れている。

○

今日小田原に還り二十八日に又々出京致します。政友会内閣の事は甚だ遺憾の結果となった事である。仮令改造問題は中止となっても政友会は分裂の兆しを顕わしたものであり、原に代わる頭首がなければかくなる事は当然の事であるが、自分は改造問題が新聞紙に表れた如き改造問題は後にして先ず徹底的に新政策を樹立し、この新政策に不賛成の閣員あらばこれを更迭すべし。もし全員が皆この新政策に賛成にて極力その遂行に努力するならば改造更迭の必要なかるべしとの論を立て、横田にも高橋にもその意見を申送りしに果たして失敗を招けり。

これにつけても惜しき事をせしは横田である。岡崎は型の如き小策士そして前途も又多からざる老人なれば惜しき事も無かるべしと雖も、横田は前途ある人士なるにこの大蹉躓のため彼の進路に一大妨害を生じたるらん。これは星の真似を仕損じたるためと存候。星は実にその剛情なること殆んど他に無比なれども、その決定迄は非常の考慮を費やしたり、かつてその官吏生活を止めて政党に這入る時には七日七晩考慮の上これを決したりという。政治上の事に限らず、何事にても決定迄には熟考すべきことは余程入念に考慮して而後に決定すべし。そうして一度決定したる上は飽くまで遂行する様にすべし。自分の如きは兎角早く決定するの癖ありてこのため不利益を蒙りしこと多し。昨日の決定などもその嫌なきにしもあらずと雖も、言わば家内の些事なれば、不都合と見れば何事にても変更して差し支えなきものであるから差し支えなしと存候。自分の一生にて兎角決定を急ぐの癖あれども、その代わり悪いと見れば直ぐに変更する故大なる禍がないのである。世に行き掛かりとか騎虎の勢いなどというて取り戻しの出来ぬ境域迄悪いと知りて引きずられて行くのは、愚人の事と存じ候。もし虎に騎って危険と見れば直ちに飛び降りるのが良いと存候。

五月七日（年代不詳・大正十一年頃）

築地・有明館

作太郎

東京海上ビル・森恪事務所

恪　殿

○

拝啓　一昨日の話に、新［恪の長男］が亜米利加にては人民が良い、国の法律を守ると感心して居るとの事、これを幸にして日本にも満二十歳以下の人は酒を飲むことを禁じられ、これを犯す時は罰金を科せられるゝ法律を厳存して居り度く、これを守らねばならぬことをよく御申聞け相成度候。容酒は国民に禍するものにてその害はその人のみならず子孫にも及ぶものに候。もし米国民が果たしてよく禁酒を守るならば世界に敵なき国民となるべし。自分なども若い時より酒を禁じたものならばもっと事業も出来、健康も宜しからんと後悔致居候。乍併、二十年来追々酒を止め候ため、今日まで生きて居られたと存候。何卒子供らは酒飲に致度なきものに候。これは一度や二度申し聞けたるのみにては効あるまじ。母親より諄々と色々にたびたび説き聞かせる事必要と存候。子供の中に母親の感化というものは実に驚くべきものに候。

学校は知育に関する事物を教えるのゝみにて、徳育の方は学校のみに任かせて置けるものには無之候。

以上

大正十五年十二月五日

東京・上大崎

作太郎

麹町・平河町

栄枝　殿

○

拝啓

自分は旧臘（きゅうろう）［去年の十二月］より『Human personality and its survival of bodily death』（W.H.Myers）という本を取り寄せて取り調べ研究致居候。

その要は結局人は体躯と共に魂魄は死なぬものであるという事を基として、人間の魂魄は互いに相関通するものであるという即ち精神主義にて、結局自分の昔より思うて居る身体は従にして精神を主とする論に帰するのである。ヨーロッパでも従来の物質を主とする思想は追々その勢を失うて精神主義になるものと存候。日本の改革は飽くまでも形成主義を排して精神主義を以てせざるを得ずと存候。

若槻首相に対する弾劾にても形式論や法律論で往くから面倒になるのであるが、一国の宰相たるものは正しき精神を以て国民を導かねばならぬ。（少なくとも日本に於いては）それがその宰相たる資格に以てなしたる言辞を、裁判官の面前にてこれを枉げ語りたる事が顕われたる以上は、それが法律上犯罪として罰せらるべきものであると否とに不拘、かくの如き不徳の虚言者を首相の地位に置いて国民を指導するの地位に置くことは出来ぬと言えばそれで充分である。只々これを責める者にとって、果たして攻むるだけの正しき精神を有するや否が問題であるのである。もし攻むる者に私欲なくして真に正しき心を以て攻むるならば、何の問題もなく若槻をして辞職せしむる事を得べきものと思う。

又支那の問題も日本は現今板挟みになって困って居るということであるが、これは困りそうなことである。関税付加税徴収にても、日本がこれに異議を挟んで果たして阻止し得可らずとせば、如何にせば可ならんか。支那は財用が不足して関税増徴より他にこれを充足すべき財源なし。日本が自己に不利なりとてこれを阻止する理由があるか。只だ条約違反というのみである。乍然この条約なるものは弱者が強者に圧服せられて不得止取り結びたるもの、これを廃止せんというに対しては再びこれを圧服するより他の手段なし。然るにこれを圧服する事が不能なりせば、これを容認するより他に方法はないではないか。

又支那の動乱は、他より干渉してこれを鎮定するより他には鎮定の手段はないのである。然るに欧米各国の支那に臨むは皆自国の利益のためである。これに干渉圧服してそれ丈の利益ありとせばなすかも知れざれど、それだけの利益なきとせば干渉をなさざるは勿論である。特に欧米の国内の労働党だの自由党だのという連中は兵力を以て支那を圧する事には極力反対するから到底望む可らず。日本はこれに異なり支那の動乱はこのままに放棄す可らさる国情にあり。さりとて単に金銭上の利害のみから言えば寧ろ傍観が賢明なる処置ならん。金銭上の利害のみならず、第一支那の動乱はこれを傍観するに堪えず。特に同種同文の国にてこれをそのままにして置くのは人道上忽諸に付す可らずという精神上の問題としては、決して傍観す可らざるものにはあれど、日本人は如比人道上の大義を以て果たして支那に干渉するの元気ありや否真にこの元気あれば必ず成功すべし。然れどもこれ元気成心なくして単に自国の利害のみより打算して干渉するとせば、これまで或国も手を出して不成功に終わりしと同様に必ず失敗すべし。

要するに世界の革命は先ず人心を正うするにあり。人心を正うせずして不相変物欲一点張りならば、共産主義でも資本主義でもデモクラシーでも自由主義でも社会主義でも何でも必ずや失敗すべし。現に失敗しつゝあるのである。故に日本人は欧米のなすところに反し、形式制度の改革は一切止めて、その根本たる精神即ち心の改革をなすべし。物欲を退けて心を正うし、これを以て支那に対し、これを以て欧米に対せば天下敵なからんか。

片岡は金解禁をなすべしと言う。内国の経済安定を尽くするにも、国民に節約の気風を吹き込むにも、何でも先ず金輸出の禁を解きて金本位を実行せざれば何も出来ぬことは先刻御承知の事であるのみならず、対外信用上に於いてもこの際解禁せざればその信用を失い、復々日本の通貨は三十ドル台に下落すべし。故に内外の形勢とも是非解禁せねばならぬ。只だこれを悦ばするは、目前借金に追われて自己の滅亡を怖れる徒輩のみに有之候。故に金輸解禁は何人にても正直なる心をせば不服を唱ふる訳はないのである。但し片岡が金輸解禁の前提として頻りに人為を以て利下をなさんとするのは間違って居る。金輸解禁の前提としては却って利上するのが当然である。何となれば利下をなせば日本の景気を偽り物価昂騰、利上をなせば物価下落して金が這い入れて来ればなり。故に自然の趨勢として金利が下落するのを拒ばねばならぬというにはあらざれども、人為を以て故らに金利を下落せしめ、金利が下落せざれば金輸出解禁は出来ぬというは誤りにて、これは例の人民の機嫌を取る政策に有之候。如比にては片岡が果たして金輸解禁を実行し得るや否疑問題に有之と存候。

君も政治家とならんとするならば物欲策略を退けて、精神、禁欲、誠意、熱心、正義、勇気、正直などを服膺して万進すべし。

これ新しき世界に於ける新しき進路なり。正直なるもの誠実なるものは勇者なり。これに反し不誠実なるものの不正直なるものは怯者なり。

支那は先日も申通り南北に分かれるのは現時の場合に於いて不得止ものか、張作霖も蒋介石を滅して南方を鎮定する事は能わず、蒋も又張作霖を滅ぼして東三省まで求める事は現時にては困難なるべし。故に日本は南北を暫らく分離するものとして取り扱うの他はない。

支那に干渉してこれを統一するのはもう少し大人物が出ての事である。張作霖の手腕は解り切って候が、蒋介石はどんなものか迄充分見込みが付かぬ。もし見込みが付いて大人物と確認せしときは、その統一を助く可し。呉佩孚などは大人物であるかの如く英人などが認めて助けんとしたが、その末路は如比である。但し蒋介石は未だ充分試験を経ざる人物なれば、如何あらんか充分試むべし。これを露人のみに任せおくのは不心得である。

本文にも述べた如く英米などに支那の内争に対しては力を致すの見込みは断然絶えたる故に、只将来支那の内争に干渉してその力を致すべきものは日本一国のみである。故にこれについては日本人の腹を揃え置くのが肝腎である。

又その機会を窺うのも肝腎である。支那に於いて助くべき人物を物色するのも肝腎である。

但し満蒙の特殊地位は何時の場合にてもしかと保持し、且つ拡張せざるを得ず。相手が張であろうとも蒋介石であろうとも露であろうとも米であろうとも英であろうとも少しも構うことはない。日本は国命を賭して闘う可し矣。満蒙の地位利権は数十万の生霊と数十億の財帑とを費やして獲たるものである（台湾も同じく）。他のヨーロッパ諸国が恐喝又は甘言にて搾取したる贓物と同一に視ることは能わざるなり。この意味は何かの場合に公然と声明しておくが良いと思う。満蒙の期限延長の契約も又、青島にてドイツを駆逐したる報酬として得たものであるのである。少しも遠慮するに及ばず。その理由を主張すべし。

右を蒋介石らの言う帝国主義反対というは、単に一時的人気取りのために唱えるものにて、その真実飽くまで日本に反対するものに非ずと認めたるものであるか、もし然らずして本気に日本に反対し、日本の支那に於ける企業を毀ち、日本人を駆逐せんとするものならば、速にこれを撲滅せざるを得ず。如比は支那に限らず何れの国にてもこれに敵対して打破せねばならぬ事である。況や支那に於いてをや。

上大崎

父

昭和二年一月八日

千駄ヶ谷

恪　殿

第二章　論稿

一　湖北省財政庁長高松如氏の依嘱による「湖北省財政整理意見」

註：一九一二（大正元）年十二月稿。

高松如氏の依頼によって提出したものであり、説き起こすに、日本の台湾統治の財政再建策を活用している。それにしても、支那に於ける鉱山、農業、税制、金融、交通、各般に亘って堂々の意見を提出し、支那の財政から経済事情まで、その知識の豊富なのに驚くのみである。森は経済学者、有能な官吏としても十二分に活躍できたことであろう。
森の経験に基づく多岐に亘る見識の広さと深さが加味されていることが観てとれる。

財政の整理をなすには左の方針を採用するの必要あるべし。

第一、当面の急なる支出を整理すること。

第二、根本的に財政政策を樹つること。

右の内、第一方針は目前に迫れる支出を処理して財政部の破産を防止する彌縫策を施すにあり、即ち機に応じ物に応じて一時的便法を施すにあり。

即ち将来のために施設せんと欲するにあらざるを以て現状を取り調べ、各その事情に照らし補救の途を講ずれば可なるべく、高氏自らその局に当らば策自ら湧出すべし。蓋し物窮すれば通ずとの格言を三思すれば、自得せらるるところなるべし。

第二の根本的に財政々策を樹つることは極めて緊要なることにして、この政策確立せざる間は如何なる英才をして局に当らしむるも、湖北財政の基礎安固たること不可能なるべし。

余のもっぱら述べんと欲するは、如何にしてこの根本的政策を樹立せんかの一点にあり。左に逐次これを述ぶべし。

敵国［日本のこと］がかつて台湾島の財政独立を図りし際、当事者は支出徒らに多く収入皆無なるに苦しみ、殆ど策の施すべきものなかりしが、時の総督飜然根本的財整理の必要を悟り、初めて財源調査部なるものを設け、各専門の人才を内外より聘用し、所有必要なる権限を付与し、俸禄待遇を豊にし、赤心を披（ひら）いて調査をこれに委託し、各人をして些の疑念なく安心して自由に手腕を揮って約一年の日子を費やし、台湾全島の財源を調査し、こゝに初めて土地整理、樟脳、砂糖の専売などの特殊制度を採用するの利なるを発見し、これらの調査部によりて献策されたる方針を実践し、遂に台湾島の財政の独立を完結するに至れり。

今、湖北省に於いても、宣しくこの例を採用するを宣しとすべし。何となれば、湖北省に未だ文明的頭能と十分なる経験を有する専門家によりて省内の事物を調査せられたることなきを以て、如何なる財源の伏在せるや否やを詳かにせず。財源詳かならざるを以て歳入の確保増進を計ること能わざればなり。故に高先生着任の上は直ちに湖北省財源調査部なるものを組織し、根本的に調査を行い、同時に現行財政の欠点短所を調査し、刷新改良を計らるべし。

（一）調査部の要領

一、調査部を行政部より独立せる機関とすべし。

二、調査部に特権の機能を与うべし。

三、湖北政府は調査部員をして湖北省内の所有地方を旅行し、事物を調査し、官吏人民の行動を調査し、歴史を研究し、帳簿書類を点検し得る特権を付与すべし。
四、湖北政府はその所有階級の官民に対し調査部員に対し所有の便宜を与えらるべし。
五、調査部の経費は必ず支出を惜しむべからず。
六、調査部に部長を置き調査部に関する一切の事を総覧せらるべし。
七、調査部は須らく部長の専制制度となし、他の官憲によりて掣肘を蒙らざること。
八、高氏自ら部長の任に当たり、全責任を負いて調査員を擁護し、その自由手腕を発揮せらるべし。
九、調査部に一名の顧問を置き、この顧問をして実際の事務を取り計らわしむべし。但しこの顧問はあながち知名の士を聘するに及ばず。能く支那の事情を知悉し確固たる見識を有する人物なるを要す。
十、調査委員は須らく学識あり経験あり見識ある一流の人物を選ばざるべからず。なるべく支那人を可とすれども、支那は今や建国の際にありて能くこの種の任に適し得る者少なし。よって断然外国人を採用することゝすべし。但しこれら傭聘外国人に支那人を付し、傭聘外国人の研究振りを見学せしめ他日の用に供すること。
十一、調査部員雇入の方針大略左の如し。
（A）鉱山、（B）農業、（C）税制、（D）金融機関、（E）交通。

（A）鉱　山

鉱山に関しては第一全省の地質を調査し、全省に散在せる鉱山の分布を明かにし、鉱山開発の大方針を設定し、その手段として技師三組（一組二人）を雇い入れ、全省を二部に分けて調査せしむること。右調査は同時に小規模の分析工場を置き、技師の送付し来たる鉱石をこれにて分析するの便に供す。蓋し鉱山地質の鑑識は鉱石の成分を知ること必要にして、一々これを海外に送って分析し居りては多大の時間と費用を要するを以てなり。

（B）農　業

全省内の地質と気候、地理との関係を講究し、如何なる種類の農産物を奨励することが最も鄂省に取って有利なるべきやを研究し、これが発展策を考案せしむること。

専門技師二人を雇い入れ、全省を調査せしむれば十分なるべし。元来未開国の歳入を整理せんとするには第一に農業に着眼するの必要あり。これ鉱山を開き製鉄などを興して利益を計らんとするも、これらの事業は何れもその収益を得るに先立ち事業準備に少くも数年を費すの要あり。事業に着手後数年の後に於いて初めて収益の幾分を挙ぐる次第にて差し迫れる資金の急需に応じ難し。これに反し、農業は着手の年より毎年相応の収入を得、現金と交換をなし得るを以て直ちに急需を救うの便あればなり。且つ農産によりて受くる利益は広く一般の細民を潤すの便あり。特に一般人民の購買力を増進すること極めて速なり。人民の購買力増進する時は一般経済界に活気を興し、財政整理上多大の効力あるべし。然るに鉱山その他の工業にありてはその効力の及ぶところ、多くは一般的ならず個人的又は地方的なる以て、一般人民の購買力を増進するについては急速なる効果なし。これ故に未開地財政整理には農産の研究第一義とする次第なり。

（C）税　制

現行税制には各種の性弊あるべし。これを研究し改良すること尤も急務なり。且つ鄂省には各省の特色あるを以て、鄂省には如何なる徴税に重きを置くべきや、且つ又如何なる新税源を発見し得べきやを研究して収入の増加を計ること肝要なり。

およそこれらの研究は十分なる経験と能力あるものにあらざれば能わず。如何に学識名聞ある人と雖も経験なければ、徒らに空理空論を唱うるに了りて実行を挙げる能わざるべし。小生の考にては我が日本には台湾その他の新開地に於いて親しく地方行政の任に当たり、幾多の経験を嘗めて実績を挙げたる低級官吏極めて多きを以て、これらの実験家を雇い来りて湖北省税制の調査をなさしむる時は知名の士を聘するよりも更に効果多からんと思考す。

（D）金融機関

高氏は永く官銭局の実務に執掌せられつゝありしを以て幾多の経験と見識あるべきも、この際更に一歩を進めて第三者の意見を徴して参考に資することは甚だ緊要なりと信ず。よって鄂省の官銭局その他金融機関の現状を調査せしめて改良案を立てしむべし。これも又学識声聞高きものを選ぶよりは実地に経験あるものを選ぶべし。

（E）交　通

支那の産業の興らざるは、交通不便なること最大原因をなせり。これが統一改革を謀り、新に土工を起すことは間接に土民を潤すこととなるべし。この交通の改善は農業研究委員に一任すべし。

（二）顧問及び雇入委員使用に関する注意

可成高給を与え十分なる優遇をなし各人をして楽して事に当らしむべし。

各人有能不能宜しく各人の長所短所を共容するの度量の以て使用すべし。

一、調査事業は却々困難なる仕事なるのみならず、各人その見解を異にするものなれば、門外漢の批評によりて動かさるゝことなく各委員を終極にて信用すべし。

一、各調査委員の欲するまゝに調査せしめ、いわゆる便宜与えて少しも疑念を差し挿むべからず。

一、随行支那人をして全然雇入外人の随従者とし、該支那人をして干渉せしめざること。

大要右の如き主旨方法に基づき、各調査委員をして予定期間内に於いて十分の調査を行わしめ、且つその調査に基づき各人の意見改革案を提出せしめ、然る後にて湖北財政を立つべし。如この費用は六、七万を費やせば充分なりと思考す。

如上は大意を述説致したるに過ぎず、御希望あらば小生帰朝の上両三日の閑を作り相当意見書を作りて差し支えなし。

註：尚、森はこの他に当時孫文の依嘱を受けて財政整理意見書を作成したこともあったと、それを口述した藤井元一氏が語っている。

二　袁世凱の日英露対策

註：一九一五（大正四）年十一月稿。
袁世凱の皇帝就任問題が起こった時の出来事が手に取るように解る。袁世凱の人なりを後世に伝えた書簡である。

去る十月二十八日、日本政府が主動者となり英、露、仏と共に、帝政問題に関し支那政府に好意的勧告をなしてより以来、袁世凱は日本の態度につき面白からざる観測を抱き、この間何か画策するところあらんとし、その一手段として、

日本公使側に曹次長と伍朝枢

英、露、仏公使側に梁士詒と蔡延幹

を向け各々画策するところあらしめたり。たまたま梁士詒はモリソンの進言により、英国が支那を連盟国側に引き入れ、問題のヒントを持ち出し、袁世凱はこの問題を捉えて英公使ジョルダンに謀り、一面ロシアの露支間の庫倫（ウランバートル）問題に対し、ロシアの対支外交方針として出先の公使に自由手腕を揮わしめ、もし失敗に帰せんか、常に公使の失敗に終わらしめ、成功せんかその功を政府に収むるという慣用手段を執り、九分通り成功せんとしつゝある折柄、袁世凱はロシアをこの問題の渦中に入れ、英露両国を同時に繰つらんとしたるものなり。

英公使ジョルダンは二十年前、朝鮮の一総領事より累進して今日の地位をつき得たる人物にて、欧州に於

ける英本国の大勢と、東洋に於ける日本の今日の地位とを理解せざる結果、今日、日本の支那に於ける勢力を無視して行動することが英国にとり重要なる関係を及ぼすことを顧みず、うっかり袁の日本出し抜き政策を英本国政府に提出したり。

元来英外相グレーは、一部人士の考える程東洋の問題につき十分なる知識を有せず。従来日本の駐英公使より東洋の問題に関ししばしば提議したる場合に於いても、未だ一回も即座にこれが回答をなしたることなきが如きは、明らかに彼の東洋に関する知識の浅深を語るものにして、たまたまグレーが過般バルカン問題につき狼狽せる時、ジョルダンより右の提言ありたるを以て深く考量するの余裕なく、種々にジョルダンの提言を採用することに同意を与えたり。

これに於いてジョルダンは、袁世凱と共に本気に且つ頗る秘密にこの問題を進行せしめ、日本公使側に接触せしめつゝある曹汝霖にすら知らしめざりき。

元来この問題は袁世凱の発意により、ジョルダンは受身にして、袁は主動的なるより、袁世凱よりは常に深入りせる提言をなすの状態にて進捗しつゝある折柄、たまたま米国の電信によりこの企画を世界に暴露するに至りたり。

その結果、日本その他が支那側より探聞したる報告は、前述の通り袁世凱の方針そのまゝを洩らし、非常に進捗せる形となりて報告され、一方ジョルダンは本問題に対し未だ深く歩を進めざる間に外国に暴露され、日本の激烈なる与論の反対に驚き、日本公使に対しては、本問題をも少し輪廓を明らかにしたる上、日本公使に相談する考えなりしと弁解を試みたるも、最早かくなりてはジョルダンは本問題の跡始末に困り果て、止むを得ず英本国政府より連盟国と手を連らね、日本政府に相談することゝなりたり。

然るに最近に至り日本の与論は猛烈に反対し、政府当局をして断乎たる態度を執らざるを得ざらしむる傾向を露わし来りしを以て、英国は終に外相グレーをして、英国は日本と協議なしに支那政府と何らの商議をなすの意思なきことを声明せしめたり。

要するに本件は日本外交当事者の手ぬかりなしに相違無きも、その半面に於いて、本事件ありたるため、日本は英国の企画をも破壊し得る実力あることを支那並びに欧米列国に実際に示すことを得、かえって好結果をもたらしたり。

本件発生後の由来より考えるに、袁世凱は到底日本の実力を理解し居らず、且つ日本と提携せざれば到底自己並びに支那の現状を維持すること能わずという観念を保有し得ざる人物なることを、その半面に於いて示せるものとなし、この点は日本が対支方針を決定するに当たり大に考量を要する問題なりとす。

吾人の常にいう如く、袁を倒さざれば彼は終に日本に害を貽すものなり。一時これを圧迫し得ることありとするも、半殺しの蛇が蘇生し更に害をなすと同じく、結局これを倒すを以て日本の最良政策なりと断言するものなり。

前年孫文らが失敗し袁が大勢を主宰するに至りし時、小生は他日袁をしてその望める如く今後十数年間支那の平和を維持せしむれば、恐らくはロシアなどと提携して日本を満洲より追出さんとするが如き企画をなし、我は僅かに朝鮮よりしてこれを妨がざるを得ざるが如き運命に立ち至るやも未だ知るべからずとまで言わしめたるは、即ち彼の性格と歴史を考慮したる結果なり。幸にこの点は欧州変乱のため杞憂と化し去らんとする模様なれども、而も今回の英、仏、露の三国と共に日本を出し抜かんと企てたる彼の心事は、明らかに小生の当時の杞憂の必ずしも無稽の創造たらざりしことを証するに足るべし。過去既に如斯、将来の事又知るべきにあらずやとは、小生の今も尚抱懐せる観察の一端なり。

本年春、日支外交問題終了後、日本に対する排貨の一件も、最近支那内地を旅行したるものゝ言によれば、袁世凱は去年五月十四日付を以て各地方官（知事に当たる）に対し、左の如き密論を発し居るを以て見れば、明らかに排貨の中心は国民にあらずして袁世凱がこれを強要使嗾したる結果なりと断ずるも敢えて過言にあらざるべし。これ現下支那の運命を左右し居られる中心人物たる袁世凱研究の一材料たるを失わず。

帝制問題以來、袁の執りつゝある外交政策については、小生より当地公使館に注意するところありたるが、何故かこれを重要視せず、最近に至り公使より本問題に関し小生と同一の意見を外務本省に報告したる様子なり。いつもながら人言に重きを措く雅量無きため、不測の過失を繰返す弊あるは慨に堪えざるところなり。

尚如何にして前記の事件が米国の手に漏洩したるかの道行は、梁士詒が一日、周自斎に対し自慢話として、「本件成功すべきにつき、やがて日本は窮するに至るべし」と語りたるが、周は長く米国にあり、支那大官中最も英語に熟し外国の事情に通ずる人物故、英国がかゝる政策をとらんとする真意を疑い、特に米国の反対あるべきことを陳べて梁士詒の言を駁したるが、尚安ぜざるところあり。周は梁士詒と対話したる後、交通総長梁敦彦にこれを漏らしたるが、敦彦も又有数の外国通として直ちに事のあり得べからざることゝ、米国の注意せざるべきことを答え、周は梁士詒の言によれば、「米国は既に同意したりとの事なり」と言いたり。然るところ、敦彦も周と同じく不安の念に駆られ、直ちに米国公使を往訪して米国の果して本件に同意せしや否やを確めたるに、米公使は本件とは何を意味するやの問を発し敦彦より本件の説明を聞くに及び、初めて米公使は米国がかゝる問題に同意し得るものにあらざること答えたり。こゝに於いて敦彦は大いに驚きこれを周自斎に告げ、周は更にこれを梁士詒に移牒して善後策に腐心し始めたるが、一方米公使は右の事実を連合通信員に内示たるを以て、該通信員は直ちにこれをニューヨークに架電して新聞に発表されたる次第なり。米公使より該通信員に漏らしたるは去る十八日の事にして、十九日ニューヨークに於いて発表されたるものなり。該通信員が笑談としてこれを我が小幡氏に語りたるは二十一日の事なり。我が各新聞社員が小幡氏より伝聞して本件を日本に架電したるは二十二日の夜の事なり。這中の消息真に可笑の至りならずや。

以上奈良参謀長に御伝え被下度し。同氏より先日書状頂戴し、本通信を以て御返事に代え候事を御申添願い、尚帝政問題は十二月二十八日に大体を発表し、大正五年元日に実行せんとする準備なるが如し。

三　袁世凱の事績について

註：一九一六（大正五）年一月三十一日稿。
この森の論稿は以降の袁世凱の人物評価のモデルとなったと思われる。我が国に於いても、列強各国に於いても高く評価されていた袁世凱の真髄を明らかにした点は高く評価されるべきであろう。稀代の「支那通」の東洋史学者内藤湖南に匹敵する袁世凱への見解ではなかろうか。

袁世凱は世間往々大手腕を有する非凡の人物なりと称す。然り現代の支那に於いては確かに第一等の人物たるを失わず。

然れども彼を以て経綸家と言ゝ得らるゝかというに、彼は決して支那の国民及び国家を統治するの人物に非ざることは従来の事績に鑑みて明らかなり。

試に彼を曾国藩、李鴻章に比するに劣ること数等なりというを得べし。

即ち彼は武人出身にして学識なし。今日彼の得たる知識の多くは種々の曲折を経たる艱難より得たるものに過ぎずして、経国済民の大才に至りては甚だしく欠如せり。

彼は只だ臨機応変の才に富み、いわゆる時代の寵児たるに過ぎず。

即ち彼は政治家に非ずして政略家の部類に属するものというべし。

彼の長所は治国済民の手腕に非ずして、自ら艱苦を切り抜け頭角を顕わすという一点に存す。一言にして評せばいわゆる野心家にして、政治家と称する資格を欠如せり。

彼が従来の歴史を見るに、彼が朝鮮時代は齢僅かに三十前後にして盛に跋扈し、我が国の使臣も大に彼を持て余まし、恰も鳥なき里の蝙蝠の観ありき。

当時北軍大臣として最も勢力ありし**李鴻章**の御気に入りにして、彼は只官吏の意向を迎合するに事努め、朝鮮に於いて大に手腕を有する如く振る舞いたり。

当時彼は支那の実力及び日本の実力を見るの明を欠き、日本組し易しとの観念を抱き、李鴻章を欺きて日清戦争を起こさしむるに至り、その結果支那の大敗となり多額の賠償金を出すの悲運に際会せり。

支那をして衰亡の端を開き、外国の侮を受くるに至りたる原因が日清戦争にありとすれば、その張本人は即ち袁世凱にして、その罪を彼に帰せざるを得ざるなり。

若き袁にして尋常一様の人物なりせば、かゝる悲運に陥り再び立つ能わざるべきも、機敏なる彼は日清戦争失敗の罪を李鴻章に負わしめ、恰も関知せざるものゝ如く、その後自分の恩人たる李鴻章の勢力あるを嫉み、満洲人と結託することに努め、特に**栄禄**と接近して自己の地位を保つなど敏捷なる働をなしたり。

又彼はドイツ式により軍隊を訓練し、支那に於ける陸軍の模範強兵を訓練したりとの名声を博し、栄禄を通して**西太后**の寵を得、遂に一躍山東巡撫の任を克ち得たり。

その巡撫時代に於いては、彼はドイツの勢力を迎合利用することに努め、ドイツ人より大に歓迎せられたり。その他彼は外国の勢力を軽視することなく、好意を以てこれを迎うるの風ありたり。当時南支那に於いては**劉坤一**、**張之洞**の如き有名なる総督あり。

これに反し北支那に於いては**端方**、**剛毅**の如き満洲人にして頑冥不霊の排外思想を有せる人物にして年少気鋭の山東巡撫たる彼は、外国人に対して種々の便宜を与え、仮令表面丈けなりとも外国の文明を採用することを標榜したるを以て彼の名声は一時大に揚れり。

時恰も三十三年の義和団匪の役あり。北清一帯は非常に惨酷なる有様を呈し、外国人の生命財産は極めて危険なるものありき。

彼はこの時に当たりて政府の命に応ぜずして山東に立て籠もり、これら外国人の生命財産を十分に保護することに力めたり。

各国連合軍が北京に入り、排外主義の満人を駆逐し、或は厳罰に処したるなどのことあり。袁が外国人より救命主の如く謳歌せられ名声嘖々たりしも故なきにあらず。

その後彼の中央政府に於ける声望は日に揚がり、終に李鴻章の後を継ぎて直隷総督となれり。彼の直隷総督時代は彼にとり最も光輝ある時代にして、彼は栄禄の死後、**慶親王**に取り入り、常に直隷省を以て変方自強の文明的政治の模範省の如く言い振らせ、この間に於いて外国の顧問を聘用し、軍隊の教育、警察の改善、学校の設立、道路の改良を鋭意怠らざりき。右の如き次第なるを以て、外国人の目より非常なる大人物の如く思わしめ、盛に賞賛せられたり。これに反して劉坤一、張之洞の如きは彼に十歩も二十歩も譲るの観ありき。

この時に於いて、彼が真の経綸家なりせば、その内外に於ける勢力を利用し、北京政府の改革を根本的に断行し、腐敗を防止することを講ぜざるべからざるに、彼はこれらの点に毫も意を用うることなく、もっぱら自己の勢力を更張することに熱中し、当時養成したる六ヵ師団の兵を自己の勢力を示すの用に供し、これを以て北京政府を護り、或は国防のために一定の見識ありてなしたるものにあらず。外国人聘用の如きもすべて自己本意より打算したるものにして、自己の名声を揚げ自己の勢力を張るの具となし、真実これにより て国を治め、或は人物を養成する目的のためにあらざること明らかなり。

彼は満洲朝廷の悪弊及び腐敗を矯正することを講ぜず、寧ろこれらの積習を増長せしめたり。宮中にありては西太后の嬖臣たる**李蓮英**に月々莫大の賄賂を送れり。又慶親王に少なからざる黄金を送りて歓心を得つゝあり。当時今の奉天省将軍**段芝貴**をして、慶親王の長子**載振**のために楊翠喜なる女優を取り持たしめたることあり。以てその一斑を知るべきなり。

尚彼はその当時、日本の勢力を重大視し、一時は日本に信頼するが如き態度を示し、日露戦争の際に於いて日本のために尽したることは争うべからざる事実なるが、その日本に信頼せりということは、焉ぞ知らん李鴻章の故智を学び、夷を以て夷を制するの老猾手段なり。

当時ロシアの勢力東漸し、満洲のみならず北支那迄、即ち彼が擁し居られる直隷に侵入せんとするを見、日本の勢力を藉りてロシアの勢力を駆逐するの具に供し、その結果日本が勝利を得たるを以て、彼は先見の明ありしことを誇り、ますます北京官辺に重きをなせり。

その後日本の勢力がロシアの勢力に代わり満洲に彌蔓せしを見、彼は従来の親日主義を一変して排日主義の人となり、一面米支同盟などを計画せり。

蓋し彼は、北京政府が日本のロシアに勝ちたるを看破し、日本にのみ信頼して親日主義を採る時は必ずや彼を以て日本と結託して私を計るものなりとの譏を恐れたればなり。

要するに彼は、直隷総督時代は北京朝廷の意向を忖度（そんたく）して能く迎合に力め、同時に義和団後、外国人の勢力が加わりしため列国の勢力を藉り自己の立脚地を固めるという芸当をやりたるにすぎず。のち彼は軍機大臣となりたるが、彼はこの際に於いて何をなしたりしか、彼は救国済民の策については何ら意を用うることなく、只管、西太后及び**慶親王**らの意を向うることに汲々とせり。

尤も当時は軍機大臣の中に**張之洞**の如き人物ありて、彼の辣腕を揮うの余地なかりしならん。その後間もなく**西太后**及び**光緒帝**の崩御あり。彼は失脚して河南に帰臥し、病を養うと称し約四年間世捨人同様になりたるが、野心勃々たる彼は常に自己の旧部下と連絡を取り、特に自己の直隷総督時代に養成せる北軍の陸軍に対しては隠然たる顧問の地位にありて、同時に革命派とも常に連絡を取り、以て他日雄飛の時機を待ちつゝあり。

満洲朝廷の失政は日増しに甚しく、攝政**醇親王**は柔弱にして、濤貝勒、洵貝勒も深宮に育ちいわゆる不良少年の徒にして何らなすこと能わず。これに加うるに腐敗の結晶なる慶親王は依然勢力を占め、その他載澤、毓朗の如き何れも碌々の徒要路に居り、地方督撫の如き漢人を排斥して満人を採用する風なりしため、至るところ漢人の不平絶えず、遂に武漢革命の声を発せり。満朝は一たまりもなく脆くも倒れたり。

この際に於いて袁は召に応じて出廬したるが、彼が真に満朝を援けて国家を統一せんとの考えありしならば、革命軍を鎮定して再び清朝を擁立すること決して難事にあらず。

然るに彼は自己の野心を遂ぐるため三代の恩を受け居る満朝を棄つること弊履を捨つるが如く、遂に共和を布かすことゝなりたり。その後四年間、彼の統治の成績を見るに彼の値に定めるに最も大切なるものあり。

何となれば彼が山東巡撫、直隷総督、或は軍機大臣時代に於いては上に腐敗を極めたる満朝を戴けるを以て、彼に如何なる手腕如何なる経綸ありとするも施すに術なかりしという「エクスキューズ」あるやも知らざれども、この「エクスキューズ」たるや吾人自らよりこれを見れば決して正しきものにあらず、寧ろ彼は満朝の腐敗の積習を一層増長せしめたる一人にして、これを矯正するの考なし。

只彼の期するところは自己の勢力拡張なり。行政の刷新、政治の革命の如き、彼の意中に存せざりしことは争うべからず。

然れども既往の事は暫く追求するを止め、この最近四年間彼が大総統となりたる以後の事績が、最も彼に対し、果して統治の才あり、経綸の策ある政治家たる資格あるやを試めす好個の試金石なり。

彼はこの四年間に於いて何をなしたるか。口には常に治国済民を称すれども、事実に於いて国家人民の幸福を増長したることありや。

不幸にしてその一端をも認むること能わざるなり。彼は国家をして内治外交共にますます困難の立場に陥らしめたり。

外交の事よりいえば、五国借款団より二億五十万元を借入し、これを改造借款と称するもこれを以て何事を改造せしや。約束せし幣制改革、軍隊の改造、租税の整理、財政の整頓、何れも旧来のまゝにして、官吏の風紀の如き一層堕落せし傾向あり。

彼はこの借款を以て自己の勢力を張り、股肱の士を各所に配布し、異分子を排斥し、各省にその土着兵に代わるに北洋の軍を配置するために使用し、殆ど有益に消費したるものにあらず。

而して内蒙古は遂に自治を許すの止むなきに至り、西藏も略同様の運命に際会せり。

これのみならず国庫の窮乏に乗じ、遠き慮なく一時の急を救うため外資を借入することに努め、事実衰えつゝありし列国の勢力範囲を再び死灰再燃せしめ、その色彩を更に濃厚ならしめたり。例えば揚子江の英国の勢力範囲に於いて英国に許すに浦口信陽線、寧湘線、蘇杭甬線、沙市興義線を以てし、フランスには重慶より欽州に至る一線を許し、白耳義（ベルギー）シンジケート（これは後に露仏あり）に大同より成都に至る一線及び蘭州より海州に至る線を許し、ドイツには済南より彰徳道口鎮に延長並びに膠州より徐州に至る線を許し、日本には例の満蒙五鉄道を許せるが如き、その他従来利害関係なき米国には陝西直隷の石油採掘権を与え、並びに淮河の開濾工事を許可したるが如き、その他中仏実業銀行を造り北京市区改正、浦口の高埠工事を許可せしなど、何れも前渡金を取り、以て一時財政の急を救うに過ぎずして国家永遠の大計より打算して、如何なる利害関係あるかを講究せざるの立派なる事実を宣示し、彼が外交上に於いて一定の見識なきを知るに足るのみならず、これがため支那は国家として手足を束縛せられ、将来ますます手腕を揮うの余地なく、悉く列国より掣肘せらるべきことを顧みるざるが如き、彼が国家に対して深甚の注意を払うものと称するや否や、識者の目よりこれを見れば、彼は目前の小康を保つためには国家重大なる利権をも提供することも憚らず。即ち国を売るの議をなすも、又一片弁解も辞なかるべし。

　飜って内政を見るに、彼は正式大総統となるや直ちに野心を暴露し、当世稀なる専制を施し、国会を解散し、議員を捕縛し、憲法を蹂躙して憚るところなく、遂に省議会、府県の自治団体を解散し、司法権独立の如き遂に有名無実となし、各地方裁判所の如きこれを廃して清朝時代の如く司法の事務を地方行政官の手に委して人民の生命財産を保護するの道を講ぜず。租税も又国家の急を救うと称して種々の名目を付し、例えば印花税の如き、験契税の如き、度量衡税の如き、烟酒専売の如き、その他地租増徴の如き、人民の膏血を搾り取ることに鋭意してこれがために努力して多額の金額を徴収せしめ、官吏に奨励法を設けもっぱら中枢に当たらしめ、一面警察の改良の如き何ら講究せず等閑に付されつゝあり。

兵士は依然として土匪鼠財の変形なれば、人民は少しも生命財産の安康を得るの道なく、道路は荒廃するも顧みず、河川は氾濫に任して修理を加えず、学校の如き前清時代に比しその数を減少せるが如き、減政の美名の下に事業縮小のみを謀り、殖産興業の如き更に奨励するところなく、人民怨嗟の声到るところに満ち、清朝時代の旧政を追慕するもの多しとは、都鄙至るところに聞くの声なり。

而して大小官吏の中枢は少しも衰えず、寧ろ前清時代に比して地位の不安を慮りて、反って小時日に富貴に達せんとし、所有手段を弄して以て人民を誅求するの事実は決して無形の事にあらず。かくの如く内治外交に於いて更に手腕の見るべきものなく、その経綸の大才なきことは争うべからざる事実なり。而してこの間の失政を以て共和政体の罪となすが如きは、畢竟するに自己の政治家たる資格なきことを証録するのみにして、由来政体の如きはその君主立憲たると、共和たると、専制たるとを問わず、要するに人を得ると国興り、人を得ざれば国衰うるの真理に対しては、国体云々を以て識者を瞞著すべきものにあらず。袁及び帝制主張派は、支那が共和政治を採用したるため今日の如き悲境に陥りたりと称すれども、焉ぞ知らん、中国の共和なるものは前記の如く真実の共和にあらず、共和の名を籍りて袁の専制を行わしめたるに過ぎずして、袁にしてもし経世治国の大策ありたらんには、この四年間に於いて事績大に揚り内外をして感嘆せしむるに足るものあるに相違なきも、事実はこれと正反対にして、到底彼が従来博したる名声は虚名にして、彼を以て臨機応変の才に富む一個の風雲児として、即ち時代の風潮に船を遣る政治家としてこれを見るは可なれども、彼を目して不世出の豪傑の如く、又は大政治家の如く称するに至りては確かに彼を知らざる盲者の言にして、到底識者の賛成するを得ざる議論なり。現に今日に於いては、従来袁を謳歌せし外人の多数が彼の行動に失望し、大に見損ないたりというもの日々に多きを加うるを見ても、彼は決して世に言うが如き非凡の人物にあらざることを知るべきなり。

四　支那人論

註：一九一四（大正三）年〜十七（大正六）年の間、即ち世界大戦中に書かれたもの。北京・中日実業有限公司の便箋に鉛筆にてノートしてある。

山路愛山著『支那論』に左の如き事が書いてある。

日本人と支那人とは我々なる一人称の中に包括し得べき同胞である。支那と日本と併せた大きな区域は即ち我々が同感の空気を呼吸し得べき場所であり、日本の祖先は日本歴史を学ぶと同様の親しみを以て支那の歴史を学んだ。日本の英雄豪傑を崇拝すると同じ程度に支那の英雄を崇拝した。情の麻痺したものはその子すら愛する事が出來ない。情の健なるものは世界をも我が身内とする。支那は我が身内である。広い親しい同感を以て支那人と日本人との隔ての垣を撤去する事の出来ないのは、両国の政治家の冷淡によって養われた。

古から互いに諒解せず、諒解を妨げるのは、両国の政治家や官僚の狭い根性が原因をなしている。日本でも支那でも国を思うものは官僚の専売と心得ている風がある。日本の官僚は寧ろ支那人を親しみを以て見なかった。不遇なる時に於ける南方の亡命者を世話したものは誰であるか、又北方の官僚系が落ち来った時にこれを抱擁したものは誰であるか。

日本の実業家が支那で取引をするに当たり、取引上に起こる不都合や損失は日支何れの人が多く受けるか。事の真相を知るものは、明らかにその日本人である事が分かる。而も日本人が支那人を虐待すると叫ぶ者は支那の政治家か、政治に多少とも関係ある民間の人物である。真実業を営んでいる商人や百姓は一向に叫ばない。我々は過般のボイコットを記憶して居る。日本では一般の支那人が真実排日をするものと思って居たが、排貨を煽動してやらして居たものは時の袁政府で、一般民は何のために排日をするのか知らずに居た。我々が支那内地を旅行する時に土地の百姓や商人はどこに行っても比較的に親切である。これを親切でなくするのは何時も役人や有志家である。以上の事実は支那人と会い、自分の手足と眼と耳と口と頭を働かせたものでなければ分からない。嘘を言う事を知って居る官吏や、知識階級を相手として判断を下さんとする者には分からないところだ。

北方の代表者が日本の官憲や、官憲に近よりつゝある実業家の間に大に歓迎された事がある。又南方の有力者が一時日本で歓迎された事がある。この時日本の人は大いに支那人を喜ばせ得たり。必ず何らかの好反響があると思って居たが、支那の一般民は風馬牛である。ただ影響のあるのは小数の知識階級の間であって、それとても日本人の好意を喜ぶにあらずして自己の便、不便によって思を表わすに過ぎない。即ち南方が歓迎さるゝ時は北方の有力者は喜ばない。北方のものが歓迎さるゝ時は南方の者は不平である。支那の南北の知識階級の心理の相違は、恰も米国の東西人情を異にせるが如きものである。加州人が盛に排日をやって居る間に、東部の米人は別に日本人を排斥しつゝあることをすら考えていないようなものだ。

支那は自然の運命に委して可なりや否や。支那は独り支那人の占有に委すべきものなりや否や、日本は支那に対して何を望み、又これを如何せんとするや、これらの問題に対して吾人は未だ明確なる答解を聞きたることなし。

そもそも日本は支那に対し何を理想とし何を目的として進みつゝありや。この目的と理想の見解は即ち対支政策の消長するところである。

我が政論をなすも多くは対支政策は事毎に非なり、憂慮に堪えずという。然れども、憂慮に止まって拱手傍観せば憂慮せざると別なし。或は内政不干渉という。何故に不干渉となるや、不干渉なれば如何なる結果を来すや、支那の内外事変の生ずる毎に日本の与論の沸騰したる事、その幾回なるを知らず。その都度我が政府が何らか外交的に方法手段を講じたるは事実なり。然もその手段たりや方針たるや、抗議にあらざれば警告なり。日本の実力を以て支那を扶護し、指導せんとする実績を表示したる事殆どなし。即ち対支関係に於いて然り。我に一定の方針なしと断ずるも過言にあらざるべし。今や弱国は強国の前に存立の意義を有せず。世界の大勢は我が日本をして強大国たるの実を挙げざれば衰亡に到るべきを教えつゝあり。ほどよき程度に於いて国の独立を維持せんとするが如きは、今日に於いては不可能の事となれり。然り而して我にこの大勢に応ずべき準備ありや、努力ありや、方針ありや、そもそも又経綸の対策ありや。

現下の欧州大戦が何のために戦われつゝありや。世界の思想の大勢は如何なる方向に向いつゝありや。これに対し特殊の歴史を有する日本は如何に案配して行くべきや。

フランスの経世家は叫んでいる。二十世紀の大海戦の予期せらるゝもの二あり。一は英国が大西洋に於ける位置を保持せんがためにドイツと戦わんとするなり。他は米国が太平洋の主人公たらんとして日本と戦うものなり。而して英国は幸に大西洋に現れ来れるドイツの新勢力を撃破するを得ば、直ちに鋭鋒を再転して太平洋上の支配権を要求すべく、この場合に於いて日米両国の一つは相互の争の何れに帰するかに拘らず、憩う暇もなく、その新に獲得したる太平洋の海権保持のため忽ち英国と雌雄を決せざるべからざる立場にあり。

史上同盟なるものゝ三十年を保続したる例なし。今この大戦によりて著しく領土を拡大したる英国と永久に利害を共通にし得べしとするは大なる誤りなり。

又米国が比律賓（フィリピン）群島を領有せる事実は、米国が太平洋に優越なる位置を築き、早くもアジア局面に発言権を構成したる事実は、少なくも日本としては国防計画上打算せざるを得ざる新勢力也。

而も近時米国は盛に海運の拡大をなせるに拘らず、我は尚八・四艦隊をすら完成するに至らず。今より三年以後、彼我武力の懸隔大なるに及べば、両国間平和は頗る危険なる状態に陥うる恐れあり。

五　支那人の特性

《日本人の支那研究は浅薄なり》

註：前記の『支那人論』と同時代の稿。

森恪の支那人観の強烈さが窺われるが、平成の御代の眼を以てしても彼の示した中国観に大差なき事が窺われる。恐らく近代中国の創生期より現代までの中国を一番理解していたのが、五感を通じて即ち身を以て体感した森恪でなかったろうか。

即ち、それらに立脚した中国観で森恪は近代日本を導き、国運の進展に貢献したのであろう。


国土の大部分がいわゆる温帯に属し、大河あり、大山あり、大平野あり、人類の生殖に適し、比較的生産能力の大なる支那大陸の如きは、決して時代に遅れたる民族の占有に委すべきものにあらず。この如き大陸は一民族の占有を許さず世界人類が共同的に住まうべきものにして、優秀なる民族の力を加えて天賦の資源を開拓発揚し人類全般の厚生利用に供せざるべからず。現時の如き幼稚なる生産法を株守し、富源の開発を等閑に付し、人類必需品の大欠乏と無干渉の状態にあらしむべからず。現今の如き状態に委して顧みざるは、自然の法則に反するものというべし。

現時の欧州戦争によって一衣帯水の我が日本の諸工業が一大活躍をなしつゝあるに反し、支那が何らこれらの恩恵に浴する事なきは、支那の社会状勢が世の大勢に逆行せる事を明示するものである。支那の如きを一日も早く能力ある政治的権力の下に支配せしめて改善を計らざるべからず。支那人の支那たらしめずして、世界人類の支配たらしむるを要す。

古来支那大陸の大部分は現今の如く、いわゆる支那人によりて支配され居たるが、この支那人種は前世紀の末まで亜細亜に於いては他に比して優良なる文化と力を保有したるを以て、これら支那人種が支那を支配せし事は必ずしも自然に反したりとは言うべからず。従って支那人種が他に比して優勢なる地歩を占めつゝありし間は支那の安定は保持せられたるが、本世紀の初めより支那人種に比して更に優強なる欧州人と隣国日本人が厳然としてその新鋭の力を以て迫まるに至り、こゝに初めてこれら新来の力と在来の支那人の力とが対抗する事となり、支那大陸の安定は漸く破綻を生じ、支那人によりて維持されたる支那の平和は遂に根底より却かるゝに至り、その趨勢は日を経るに従い両者の実力に比例し事毎に支那人の力の不足せる真相曝露され、新来者たる欧州人や日本人の実力の優越なる事が判然し、今や支那大陸は両勢力の消長如何によりてその帰着するところを見んとするの形勢にあり。

即ち新来者たる欧州人又は日本人が支那人の力を圧倒し、征服して支那大陸を左右するか、或は支那人自身が大に自覚しこれら新来者の力に比較する以上の力を養成し来り、新来者の圧迫を却けてこの大陸に於ける従来の位置を保有に至るか、何れか二者その一に帰せざる間は終にこの大陸の安定平和は望むべからざることとなるなり。

即ち語を代えて言えば、支那が永久に列強の間に屈せんとするは不可能となり、何らかその生存する所以を工夫せざるべからざるに至りて居るなり。

然り而して支那人は能く覚醒し自奮自強、新来者を凌ぐに足る文明を作製し、現代の社会の圧力に耐えてこの大陸を保有するに足る力ある人種となり得べきや否や。又例えこの力を作り得べしとするも、近き将来に於いてこの域に到達し得べきや否や、これ対支政策を論ぜんとするものにとりて先決問題と言うべし。支那人能くこの域に到達し得べしとするか、新来者の一員たる日本人としては軽々にこの大陸に手を下すを許さず。又下すを要せざるべし。支那人にしてその域に到達し得べしとするも、それはその道程に於いて何らかの故障と圧迫の生ずる事なく長年月を要して而して後初めて到達し得べきものにして、現時の如く各邦の圧迫を蒙る間はとても順調にこの点に到達し得る見込みなく、早くも道程に於いて壊るゝの恐れありとすれば、新来者としてはこの大陸を無能なる支那人に一任し置くべきにあらず。進んで智を用い力を加えてこれを料理し、安定を保ちて支那大陸天与の生産力を利用し、以て人類を益する事に努むるを要す。

これらの問題の解決はやがて吾人の対支政策の分るゝところなり。この解決は一つに支那民性の研究によりて決す。民性の研究は歴史的研究を以て基礎とすべきは勿論なれども、現代支那人の状態を以てその能力を判ずる事は更に緊要なり。一言にして支那人と称する事も出来る。細別して満洲人、蒙古人、漢人、回人、藏人らのいわゆる五族に分ける事も出来る。これら五族の特徴を研究するも必要だ。又南方と北方との相違、しかし今の支那は漢人の世界だ。支那大陸の大部分を占め、あらゆる階級に亘りて努力を奮っているのは漢人だ。先ず漢人の特徴を以てそれで現時の支那人の性格と見做しても大なる間違いはないと信ずる。然らば漢人は如何なる性格を持って居るか、日本の読書人は歴史上からすべて次の如き（支那人はこんな風なものになって居るとて）見解を下して居る。

支那人は国として共同生活を味わって居ない。学識ある者は理智の上から国を解するも、一般民はこれを解して居ない。一般民は日清戦争を以て国と国との戦争であると痛切に理解する事は出来なかった。**今の支那人種中の大部分を占める漢人は久しく治者としての位置を失い、少数なる他の人種の配下の下に生きて来た被治者としての長き歴史を持って居る。故に国の価値を知らず、国の有難味を経験しない。自ら立ち、自ら治める必要を感じない。凝集力に乏しく、言に長にして行に短である。口舌の民である。国を治めるよりも一郷一家一身を守る事に於いて濃厚なる思想を示して居る。他国に征服されたる人種の例に洩れず、今の支那人は極端なる個人主義なり。**彼らは能く仁義忠孝の道を解するも、而も一旦身命を賭するの難に遭遇する時は恩人に脊き、味方を放れて敢えて強者に降り権力の中心に向って行く。国難君恩に殉ぜんよりは身を保つ事を計るに急である。彼らの多くは国が亡びても飯が食えれば時と浮沈しつゝ暢気に構えている。国事を憂うるもこの範囲を出でない。

支那の政治は読書し得る小数階級者の政治である。彼らはしばしば治者を易えている。その治者は半ば彼らとは種族を異にする人民である。而も平然としてその統治に服従している。**支那人が自ら治める能力ありや否やは大なる疑問である。**

由来支那政府は、人民に平和を保証する事を以て第一義として居る。平和さえ保証さるゝ限り黙々として政府の下に統治されている。敢えて自ら国民的に自覚したる生活を営まんとしたる歴史なし。

支那人は文弱にして保守的である。平和的で侵略的でない。文弱と保守は支那人の二大痼疾である。この二大痼疾を剔去せねば、支那人によりて支那を再造する事は出來ない。

一、支那人は起きんがために寝るに非ず、起きなれければ寝られぬから起きるなり。働かなければ休まれないから働くなり。支那人は一般に精神よりも形式に重きを置く風がある。支那人にはその文明を世界に広めるとか、世界を征服するとかの理想なし、彼らはライフを楽しみ得る人種なり。

支那の政治家で真実人民の実際の幸福という事に注意せるものなし。

一、支那人は精神的に発展せずして模倣的に走る風がある。

即ち百事真面目を欠いている。意義に動ぜずして声で動く人間である。故に謠言の起こり易く、謡言によりて忽ち左右され、土匪の如く教養と思想の根據に薄き兵士を有するが故にこれを定める事は困難なれども、これを動かす事は極めて容易なり。

一、長髪賊を平げ得たのは、多く外人、特に英人の力である。會国藩なぞの義軍の力でない。初め太平賊に同情を持って居た英人らが満洲国政府を助けて秩序を回復せしめた方が良いとして、彼らは兵力を満洲政府に貸して兎も角も秩序を回復させようとして北京政府に申し出た。その結果として外人を招聘して新兵を訓練し、いわゆる常勝軍を組織し英仏の軍艦をして長江を溯らしめ、海軍より狭撃して終に長髪賊を亡ぼして秩序を回復し、満洲政府即ち中央政府の威信を回復したのである。

一、即ち支那人は彼ら自身よりも優越したる人種の力を頼まざるを得ざる事を示して居る。

一、支那の位置は他人の恩恵に依頼して辛うじてその独立を保ち得る女性と同様である。

一、支那は一国なさざれども一世界也。言語風俗、習慣を異にせる人民の集まる事、宛然欧州のそれの如き観あり。故に有力なる政体を建設する事頗る困難なり。

一、支那人は難に際しては一身一家の運命を存する範囲に於いては驚くばかり悲憤大声すれども、終にこれがために一身一家を捨てゝ反抗を試むるものなし。家と国と共に亡ぼさない。国の運命が危なくなれば、大臣元老は富を擁して匪亡する。家を守りて国を売る事を敢えてする。国が亡ぶる時は家も身も亡ぶる、という日本とは相異して居る。

一、支那は由来完全なる独立国たる態をなさず。治安は多くに他に維持され、その位置は娼婦の如き位置にあり。故に赤心を以て相結ぶ信念なく、如何なる場合に於いても他国の申し出を悪意なしに受け取る事を得ず。夷を以て夷を制するために一時他によるに過ぎずして、決して飽くまでも他を信じてこれと苦楽を共にするものにあらず。

一、支那人もかつては立派なる文明を持って居た。吾人と相去る一歩である。故に大に教育し利導すれば、或程度までは自覚させる事が出来る。しかし、虎を猫の近所までおとなしくさせる事は出来るが、猫を教育して虎の猛けきにする事は先ず以て不可能である。可能であるやも知れないが時がかゝる。支那人も一部は自覚して居る。しかし多数を見れば依然として旧の如しだ。支那人の自覚は要するに徹底しない。これを教育によりて根本から徹底的に自覚せしむる事は世界の大勢に間に合わない。日暮れて道遠しである。

近き将来に即ち隣国たる日本が迷惑を蒙らざる時の間までに、支那を支那人に任せて改善さす事は極めて困難で不可能に近い。

支那文明の根本は名教の力である。これあるために支那の社会を形作って居たのである。今やこの名教の根本が地を払って消失せんとし、伝来的に続いて来たその教化も又根底より衰退せんとして居る。社会組織の崩れんとするも無理はない。

名教既に崩れ民心の據るべきところなし。何を以て国を救わんや、徒らに枝葉の改善を云々するも支那を救うに足らざるなり。
一、元の時代に支那に十数年滞在したマルコポーロは言って居る。支那人がもし侵略的種族であったなら、彼らは優に全世界を征服得る程多人数である。されど安んぜよ、彼らは何れも商人、職工たるに適すれども、兵士たるべき資格は全然具備しない。
一、或る書に、長州の高杉晋作が上海に来りて支那人の到底救うに足らざる事を看破した事が書いてある。明治維新第一流の人物の見たる支那の五十年後の今日と雖も、依然として旧の如しである。この人物の真察を利用せざるは爾後の政治家の罪である。

上の如きが読書人の見たる支那人観である。これらの観察を集合するとどうしても支那人はいざという時に頼むに足る程度の極めて薄い人種であるという事に帰着する。

吾人は読書人でない。故に書物や歴史の上に考証して支那の民性を論断する資格はないが、今の支那大陸に住むところの支那人の現状を観察する点に於いては、及ばずながら一個の見解を世に呈する資格を有するものと自信する。

元来日本人の頭には架空的に各々が一種の支那を理想の上に持って居て、支那人や支那問題を解くに当たって何れもこの架空的支那を通じて解く風があるから、何時も真相を得ない嫌いがある。又支那の政治人情を研究するに当たり、日本人がどうもすれば陥り易き誤りは、支那の事を日本の事情に比較して直に共鳴することである。これに反し、人情風情を断然異にする西洋人の観察が反って支那観を適切にする例が頗る多い。これというのも西洋人は元来物の観察に当たり先ず現状に重きを置く。彼らの観察はこの故に多く事実に近いのであると思う。支那の実情を知らんと欲せば、実情を観察し得る資格を作らねばならぬ。自らこの資格を具備するの余裕なきものは、この資格を有するもの丶言に重きを置き、これを傾聴し、これに信頼して方針を立てる義務がある。然るに我が国上下の有力者の支那を談ずるもの多きに拘らず、この輩の支那に関する知識たるや頗る軽薄且つこれが研究に進む途を講ぜずして、而も大に進まんことを望めり。その得べからざるや宜なり。即ち今の対支策を語るものは、支那を知らずして支那問題を口にするの徒なり。

支那の事たるや隣邦に非ずして我が国の事なり。而も邦人これらを見るに支那の事として敢えて力を用いず。吾人は思えり。支那語を語り、支那文を知り、支那の風土を恐れず、長く支那人の風俗と伍する事を厭わず、否な進んでこれを迎うるの勇気と、加うるに現代的智力を具備して後、初めて支那の事物を知る事を得べし。そもそも支那は未開の地なり。外人によって開発されつ丶ある支那の都市と内地の状勢とは非常なる相違あり。且つ支那の文字の困難なると、政治方策の影響によりて支那には知識階級の数極めて少なく、仏国のヂェスイット僧の如きは、四億の人口の中、能く文字を解し時事を解し得るいわゆる知識階級は漸く百万人を出でざるべきを言えり。

日本の有力者の支那を談ずるもの丶多くは、支那新聞を談じ得ず、支那語を解せず、風土人情に通ぜず、支那内地旅行をすら苦とし、支那を論ずべき何ら用意と教養なきに拘らず、僅かに数日、内地の実状と大いに異なれる支那都会を飛行的訪問に費やし、而も飾る事を知り辞令に巧みなるこれら少数の知識階級を相手として、その得たる感想を以て直に支那を速断して一角の支那通を振り廻わせり。誤らざらんと欲するも豈（あに）得んやである。常に日本の対支政策を誤るものは、これ等一知半解の有力者であると考える。

吾人は、何故に日本の有力者が真面目なる支那研究者の言に耳を傾ける事少なくして、これら浮薄の徒の支那観に重きを置くやを怪しむものである。最近支那に勃発したる大事件は、清朝の腐敗、革命の勃発、袁世凱の再起、清朝の滅亡、第二革命、袁の帝政運動などである。而もこれらは真面目なる支那研究者によりて多く予言せられたる事件である。もし時の為政者の中に達眼の士ありて早くこれらの言に耳を傾けてこの機会を善用する事が出来たなら、国運の進展に資した事は蓋し異常のものがあったろうと考える。敢為の心なき者にとりては機会も役には立たない。かくの如くにして過去に於ける幾多の機会は無爲の間に葬り去られた。

今や国運の向うところは袖手する事を許さない。吾人が敢えて禿筆を弄する所以である。吾人は支那を談ずるの資格を有する一人と考える。然らば吾人の耳に入り、眼に触れた結果として得たる感想を述べる事は必ずしも徒事とは考えない。

吾人は十有五年の支那生活の結果を考えて見るに、先ず特筆すべきは支那人の日常の状態に於いて、これが興国の民の反映であるとの考を越さしめたことが殆どない事である。

支那人は上から下までの骨の芯まで腐敗している。支那民族は白蟻の食った大伽藍である。支那人は如何なる場合に於いても私心が先になる通癖を持って居る。たまたま公共心や誠意を発露する事があるも、それはこれを発露する事が自己のために利益である場合である。法制上より言えば、支那には必要なる機関はおよそ備われるも殆ど空文に属し、かつて実績の挙れるものなし。吾人の先輩は、支那の商人や労働者は勤勉にして忍耐で節倹であると教えた。然し吾人が支那に来り以来、親しく支那商人に接し、又は工場で労働者を使ってみると、多少の除外例はあっても多くのものは勤勉でもなければ節倹でもない。怠け者が多く濫費する習慣が盛で忍耐力なぞは余程薄い。只彼我の風俗習慣が違い文化の程度が違うから、日本人の居られない所に居る事が我慢と見え、不平も言わず十年も二十年も同じ職に甘んじて居る事が勤勉に見える。金の費い方を知らないから如何にも節倹のように見える場合が多い。特に職工労働者の如きに至っては、力の能率のある特殊のもの以外は日本人以下である。彼は四、五日にして一週間分の食料を得れば、後の二、三日は働く事を欲しない。支那の農民は正直に見える。然れども彼らの知識や力の及ばざる点に於いて正直なのであって、彼らの日常の生活に入る時はその腐敗せる程度は宛然知識階級のそれと大差ない。吾人の眼に映じたる支那人は名教敗れてよるべき教なく、上下を挙げて腐敗の域に達して居る。この民を自然のまゝに放任して置いて能くなる事を望むのは余りに気の長き希望であって、日進月歩の世界の大勢には間に合わないと断ぜざるを得ない。工場の経営、官衙の統一、運輸交通の機関に至るまで一つとして腐敗を伴わないものはない。支那の人士は、今の京張鉄道は支那人の手で造ったと言って自慢して居る。鉄道の事で口を開けば京張鉄道を持ち出して居る。吾人も、この道は鉄道としては中々難工事の線路であるから大に支那人の技量に敬意を表し、これ或は支那人のアビリティを示す一例証にあらざるなきやを思って調べてみた。何んぞ知らん。名は支那人によって案配されたる線なれども、その実は悉く外国の製造家の手によりて作案され実施されたるもので、支那人の手の加わりたる事は尋常の雑工事に過ぎない事を発見した。而もこの工事に関係しこれに材料を売り渡したる白人について聞けば、何れも支那人の到底かゝる企業を担当するの能力なき事を説いて居る。

最近袁世凱の時代に、北京城の正陽門の拡張工事を行った。一見単純なれども相当の工事である。この工事に関係したる支那の役人は大いにその功を謳われ、吾人も支那人の腕前も馬鹿にならぬ事を感じて居た。然るにその実は、この工事はこれを請負いたる白人の設計である事を知って失望した。

支那の牛馬について外国人は書いて居る。「今の家畜も依然古来のまゝで何ら発達改良の跡を認める事が出來ない」。又仏蘭西の宣教師は医術宗教について、「支那の医術も宗教もこれを欧州のそれに比すると、その初めに於いては大差なく、寧ろ支那の方が出発点に於いては優って居たものと思われる。而も一つはその後しんしんとして発達し、一つは依然として旧態を改めて居ない」と書いて居る。支那の大小の川や湖は中には或る時代に手を入れた跡があるが、今は数百年の間自然のまゝに捨てられて居る。支那内地を旅すると所々に多少の建物や土木で名の無きものがあるが、何れも昔のもので近代のもので誇れるに足るべきものを認めない。

文学、美術、工芸品の如き、外人の間に肩を比べ得るものは悉く昔のものである。或る意味よりすれば支那人は昔で生きていると言える。内地旅行で特に感ずるは、到る所に城がある。造られたる当時に於いては何れも相当のものであったことを追想させるだけの構えである。然るに今は、崩壊して惨状を呈していないものは頗る少ない。城の中にも昔は大きかったろうと思われる家が少なくないが、これ又修理不完全なものが多い。即ち今の城内の住民は、古人がその城を造った時程富んでいないことを示している。これらの城市と城市の間を結び付ける道路というものは頗る貧弱である。又支那の農具農産物には何ら改良の跡がない。加うるに長き間の悪政によって、住民は段々に疲弊しつゝある事が能く見える。

支那人にはマネージの才が余程欠乏して居る。外国人の乗り込まざる支那の汽船の危険なる事は一例である。外国人の手を放たれる支那の鉄道の乱脈なるは一例である。

かつて五国借款団が借款の担保たる塩税の整理をなさしむるため各役所に一人の外人役員を置く事を要求するや、支那政府はこれ支那の主権を害するものなりとて反対した。然し借款団は「制度を如何に美にするも支那人に放任しおきては啻に実績の挙らざるのみならず制度そのものも腐敗し去るべし。形式の立案、制度の提供のみにては支那を改造し得べきにあらず。外人をして参与、実際にあたらしめざるべからず」と主張して終に外人を傭聘せしめた。而もこれら外人が参与したるを以て初めて乱雑なる塩務を整理し、腐敗せる官吏を監督する効を奏し、塩政上一大進歩を呈した。

種々なる工場に外人なきものは殆ど成績が挙って居ない。支那人の多くは、政治家も学者も商人も労働者も、己れの生命を保護するものゝ誰なるかを深く問わない。彼ら政治家は平然として口に攻撃をたゝざる外人の保護の下に、各国居留地に隠れて放言大語して居る。支那の大官の内にその隠れ家を居留地に有するか、又は連絡を有ざるものは殆ど稀である。一旦生命に危険があれば、平然として昨日まで悪口を言って居た外国人の所へ逃げて来る事を恥とも思わない。支那の海関は全く外国の力で今日の発達を見、秩序を保ちつゝあるのだ。塩税も外人を入れて以降、初めて整理の実を挙げるに至った。支那固有の銀行の殆どすべては外国銀行の援助の下に生きて居る。すべて外国人の智力を借りて動いて居る。招商局の船はすべて外国人の船長、機関長を戴いている。電信鉄道でも電話でも、技術上のことはすべて外国人を煩わして居る。詮ずるところ、吾人は支那人を以て救うべからざるものとは思わないが、支那を彼らのなすまゝに放任し置く時は、三十年、四十年の後には何らかの形に収まるかも知れぬが、それでは世界の進歩に間に合わず、この有用なる大陸が時代から遅れて臭気を八方に出しつゝあっては隣邦たる日本が患を受ける様になる。従って、支那人は近き内には自主自立の国民となり得る見込みなく、単独に歩かせておくべからざる民族であると断ぜざるを得ない。今日に於いて支那が兎に角領土を保全し居るのも、決して支那人自身で出来て居るにあらずして、他国の黙諾によって辛うじて国の現形を維持しているに過ぎないのである。従来この大陸に棲居し来りし支那人の組織の才や総合の才も認めざるを得ない。全然国をなし得ずと断ずるは能わざるも、今日の世界の大勢に順応して国家を維持し行く能力なしと悲観せざるを得ないのである。今の世界では支那人は最早単に自ら活動しようとしても出来ない。今の支那人は国家経済の材幹なきに、濫りに権力のみに憧憬す。何れの方面よりするも国命を託すべきものに非ず。

法制の実状、官制の実体に触れ、或は複雑なる内治行政の真相を論じたるものを見ない。現在に於ける文芸、美術、宗教、教育、衛生、風俗、習慣の真相を伝えたるものがない。農民、労働者、中流、上流社会の生活の状態を、交通、治水、産業の実際を写したるものが少ない。日本としては根本的に現代の支那の全体に対して科学的の研究をなす必要があるのに拘らず、政府も民間も多く顧みない（日本の朝野は旅行者の視察に重きを置かない）。

支那の動物の研究に来たドイツ大学の教授は、生物学上から言えば支那は世界に於ける宝庫である、と公言している。而も日本人は支那に産する動植物の事を多く知らない。支那の地理に無頓着である。土質の研究、気象観測を等閑にしている。利権の調査にすら真面目でない。況んや親しく支那の土地を踏み、支那の天然に接して現状を視察し、これに科学的研究を試みんとするが如きものは真に寥々として暁天の星の如きものである。

その国の自然物に対して基礎的の知識なき外交や通商の権威なきは当然である。

如上が吾人の支那人観である。而して我が朝野の支那人の真相を断ずるに摯実ならざるを感ずるものである。摯実ならざるが故に、一定の方針が立たないのである。一定の方針がないからそのなすところに無駄が多いのだ。

六　支那雑感

註：一九一七（大正六）年頃の稿。

後日の論文か講演の資料として利用するために、思いつくままにメモして書き留めておいたものであろう。森独特の所感であるが、それにしても国際問題、外交、政治、経済、産業、文化、軍事など多岐に亘り、また、人間関係の機微にまで及んでいる。が、赴くところ強烈な自己主張の羅列である。

一、情の麻痺したるものは、その子すら愛する事を得ず。情の健なるものは、世界をも愛する事が出来る。支那人に対して親しい同感が興る。

一、支那人に対して無遠慮に軽蔑の態度を示す。風俗習慣を侮る。

一、現代の法制は文字の上に於いてこそ結構。

一、貿易の事。支那研究。

一、日本人の恩と力とを解するものを助く。

一、貿易から言えば綿製品が最大である。従ってこれを保護するに絶対的なるべし。他に交換問題のなき限り、これに害ある事は排するを要す。

一、政治は支那の全体ではない。支那は一大農業国である。支那の政治を何のためにやるか、政治を布いてこの天賦の富を利せんがためである。こゝにその結果を考えて執るべき途は両様であらねばならぬ。

一、昔は外国人を支那内地に入れなかった。今はどこにも行ける。これ必ずしも支那人の自覚の結果ではない。

一、支那には元来貴族なし。一切平等なる氏族より成立している。故に支那の統治者は人民の機嫌をとる事が必要である。古来天命を受けて王位に上る者は人民の帰住するところであった。即ち人望を得た者、何かしら人民の利益になることを計った者が王者になる。この意味に於いて、支那には民主的傾向が初めより存在している。これが支那の破壊力である。

一、北江蘇の連中は日本軍に鉄道を布かさんとした。

一、物事は徹底せざるべからず。既に主義を立つ、これを徹底せしむるを要す。

一、支那の現在判っているところでは利権はない。利権は支那人民と農産である。

一、一歩を居留地から出ると土地の所有権がない。

一、法律の行われるところには工業が発達する。租界、日支共同事業。

一、法律が行われなければ奨励しても駄目だ。

一、日本の政治家口を開けば日本の誠意を云々するも、日本に真実誠意ありや。（中日公司、日本実業家の事）

一、今日までの臆断は、多く我が当局者が、中央政府に力なき支那政治家を見るに、官憲を握れるものゝ力を過信し、民心の赴くところを軽視するの風あるによって誤らる。

一、支那の官吏が日本の希望に反するは、主義主張あるがために然るに非ず。自己の位置防衛のため也。

一、対支政策の根本的刷新。

一、日支経済、実業連絡の如き、要するに支那の政治、法律の改善をなさざれば、実行することを得ざるなり。源を質さずして末を論ずる愚なり。

一、ドイツ、ロシアの関係は、或は日支の関係と彷彿たりとの観察をも下し得べし。
今やドイツはロシアを自己の植民地化しつゝあり。工業国なるドイツは農業の国なるロシアを巧に操りて、関税政策を巧妙にして、両者の貿易額は年々増加して他の何国をも凌ぐに至れり。

一、我が国は、支那に対する関税問題の如きは最も大事なるが故に、十分の研究と用意なきに於いて軽々に着すべきものにあらず。然るに何事ぞ、最近の関税引き上げに軽率に手を触れたる事や。

一、内地貿易で飯が食べる様にしたし。

一、如何なる場合に於いても支那人に同情を以てせざるべからず。

一、列強既に互いに支那大陸に於いて野心を包蔵する以上、根本的に親和する事は望むべからず、要は仮装的平和のみ。早きに於いて彼らをして明らかに我れの優越権を認めしむるにあり。欧米人は由来、決意あるものを苛めずして狐疑しつゝあるものゝ迫るの風あり。彼らをして我が優越権を認めしむるの途は、ただ積極的に機先を制し、而も彼らに均等せしめて私するところなきを要す。かくすれば彼は乗ずる機なくして服従し来るべし。如何なる場合にも断乎として方針を決定し去るを要す。狐疑逡巡不決定は禁物也。

一、問題は支那大陸を統一し統治するために、早く機関を作って支那に平和を与えることである。
この統治機関、即ち支那を統治する道具は、従来の如く君主を中心に立てゝすべての行政機関を備えていく君主専制でもよければ、今の共和でもよい。共和と専制、何れが支那の統治に適して居るや否やを問うの時ではない。そもそも政体なるものに絶対の善悪はない。その可否は一つに、その時の国状によるのであって、共和にするために満洲政府を倒した今日以上今の支那が共和なる事は当然である。而し共和が面白き効果を挙げぬから、これを転覆して君主にするのならそれでもよい。或は共和を続けていくのもよい。畢竟支那が早く統一されて、法律で支那大陸が運転する様になればよいのである。

一、米人曰く、米国は戦を要せず。十分の領土と原料とビジネスを有す。

一、大正六年六月八日、北京在郷軍人会にて田中義一氏曰く、（自分の直覚したるところでは）

1．支那に居る日本人は少しも支那人に利益を与えない。血から骨まで奪ってしまう――

これは実際を知らぬ言だ。こんな事を言う支那人が幾人、日本人と共同に仕事をしているか。支那人は嘘を言っている。

2．支那人は皆、日本人と共にすると突き落とされると言って、日本人を危険に思っている――

これは政治家の言だ。これは政治家の罪だ。

3．ギリシャにロシアが兵を出して一時成功したが後は続かない。工業の発達せざる所以だ――

これは政治家が無能で工業力を濫費した結果だ。日本政府も大いに注意するがよい。

一、日本は支那を開発自立せしむ事によりて利益すべし。

一、法律と秩序を強うるものは主権である。その主権を維持するは力である。この力がない。主権は維持されない。

一、我が国は微力なりと雖もアジアに於ける強国なり。能く実力と欠陥とを打算し、地理上より、民性上より、歴史、政治経済の上より仔細に考察し、善慮、善謀、これを国是的に企画し来らば、必ずしも列強の鼻息をのみ窺うを須ひず。先んじて日支両国の間に相寄り、相犯さざる大方針を樹立し得べきなり。

一、畢竟支那に求むるに寛大なる心を以てし、助くべきを助け、而も列強に対しては頗る厳正を守らば、我を疑う事能わざるべし。

一、帝国は如何なる代償を払うも、終に支那を味方とせざるを得ず。一日を許すべからず、苟安は許さざるなり。

一、支那に政治行われ、支那に文明現れば、第一に益するものは支那人なり。第二に益するものは日本なり。我の禍とするところは支那の不安定なる事なり。故に如何なる形に於いても支那に統一を与える事は、我が国当面の急務なり。

一、一歩埒を越ゆれば四面強敵の包囲を受く。

一、米国に先手を制せらる。

一、日本の政治家は、日本の軍備に投ずる事を以て支那に投資するものとみなさず。誤れりというべし。

一、現在に於いて支那の天地は吾人にとりて狭し。

一、弱国が強国に生存するには勢い列強の歓心を求むるに汲々たり。従って政権を握らんとするものは先ず強国に信用さるゝ事を以て第一要件とす。故に、外力が常に政治家個人を通じて内政を支配する事は、欧州両交戦団体の間に介在せる弱国の態度、或は日露戦前に於ける朝鮮によりて見るところなり。故に列強力を東洋に加うる能わざる今に於いて、早く支那を一定の形にたゝき固めざれば、支那は遂に東洋のバルカンとなりて長く我が日本を禍することゝなるべし。

一、事件の生ずる毎に列国の風向きをのみ観測し、難を避け易きにつき慎重なる外交方針によれるなる美名の下に、国威を失墜し、機会を失い、時勢に押されて一時の苟安を得て、自ら足れりとせり。かくの如きは伸びざれば退く今日の大勢に於いて国の前途を誤るものなり。

一、我が政府の有するところを見るに、不干渉必ずしも事実上不干渉にあらず。

　　取る棹の心ながくも漕ぎよせんあしまの小舟さわりあるとも

一、如何にして支那は統一さるべきや。

一、支那を統治するに必要なるもの二あり。一を経済、二を力とす。この二者を有するもの幸に支那にあらば好都合なるも支那人になければ外部より貸し与うべし。恰も外人が知識と力を貸して支那の税関制度を完成し、この機関を障害なく運転しつゝあるが如し。

一、兎に角、経綸を教え力を貸して支那を統一せしめ、支那人は固より列国人をしてよるところを知らしめ、然る後徐ろに諸法制を整えしめ、万機公論によりて決せしめ、開放均等の方針を知らしめ、公明なる態度を似てただ支那の統一を得るを根拠とし、我に野心なき事を明示して列国の制圧を緩和しゆけば、列国に異存なく、異存ありても干渉するに術なく、この間に支那をして向上せしむべし。国勢はこの間に自然に発展をなすべし。

一、今の如く中央に何らの武力を有せず、地方にある督軍連が武力を擁し、無制限なる主張によりて各個に行動して相対峙する時に、平和の手段によりて統一を得んとする事は不可能である。支那の政体の如何になり行くかを別問題とし、これら私兵を有するものを一掃し去らざる限り、統一を望む事は出来ない。

一、日本が進んで力を貸して今の政府をしてこれらを一掃せしめ、政治上にもあらゆる改善を施す事にしたなら、それが支那の統一を得さす最捷径である。道理が力に負ける時代には、力は優勝、劣敗を眼前に征服し、政治機関の運用を徹底的ならしむるからである。

一、支那の外交と日本の外交。

一、米国が堂々として支那に統一ある政治の出現を希望し、日、英、仏などが強要して段（段祺瑞）内閣崩壊の素因をなさしめた宣戦問題の如きは敢えてその成り行き如何を問うの要なし、と看破したのは、我不徹底なる態度に頂門の一針を与えた事になる。宣戦も可なりこれを貫かす全力を傾け早く片をつけさせれば、こんな事はなかった筈也。かくの如くにして米国は他日の禍となるべし。
一、支那は暢気な所だ。呑気にせねばならぬという。暢気なる癖を直してやるのが日本の役目だ。
一、日本の公使館員は研究の余地を有せず。
一、山本と北江蘇の事。
一、政治と実業とを区分する事。
一、統一は権力の制裁の下に維持せらる。その有する権力が他の如何なるものゝ有するものよりも強大なる時に於いて、中央政府の威信が保たれ、統一平和が維持さるゝのである。
一、日本の浪人の予言と政治家の不用意。
一、ブランドの観察。
一、英ＡＰとの問答
一、日置公使と誠意。
一、支那の鉄道を各国に分けたるは日本の失敗。一緒に固めて中央の借款にさせるがよかろう。
一、日本外交の測量悪し。用意なし。
一、二十一外交、山東鉄問題。鉱山、最近興亜公司、交通銀行、南北思想と同官僚の歓迎。
一、孫黄。隆宗輿。汪大燮。
一、支那の政治安固となれば、外人が投資せる鉄道は第一支那人を利し、次第に日本を利するのある。政治が根本である。列国の支那鉄道獲得は我なくして益あるものとなる。

一、支那の政治は、外国人を引き入れて、千余年以来の積弊を根底から掃除してかゝらねば駄目なり。ヤラッポコをやめて本音を出せ。

一、支那を獲って自分の政治を布かんとするにあらず。支那の人民を救済し、東洋の平和を維持するという事を目的として一時支那の政治を預かれ。

一、支那人の方式によって支那は治められない。故に、政治上の徳義と能力の高き外人に政治を任せるは、支那にとりて必要である。

一、中日実業と資本家。

一、日本の銀行家は支那事業に投資するの勇気乏しく、銀行の如きも余りに臆病である。これがために相当苦心して発見した事業も、資金の一点から破談に帰する。

一、支那に於ける動産不動産を担保として投資し得るようにせねばならぬ。

一、日本の利権調査の不足なること、研究者に耳を傾けざる事、（例、石油、福建鉄道）

一、支那は天産物が豊富である。これが開発されてこゝに経済的華やかな時代が生まれたなら、この利を享くるものは我が日本である。

一、支那人に購買力を高めしめ。

一、生命財産の安固ならざる地、則ち法律の実施されざる地に殖産興業の発達した例はない。然るに日本は、根本なる法律の行わるゝや否や注意せずして徒らに殖産興業の起こらんことを希望している。

一、日支人提携も、支那の政治問題が解決され、国本が定まってからの事である。支那人自身をして憲を立て法を定めしめてこれをやるに、我が武を貸せば可ならん。

一、支那を泰平ならしめ、開花主義を奉ぜしむる時は、実業は奨励せざるも振興すべし。支那をして泰平ならしむるの途は、我が武力の如何に帰着す。

一、遼東の民は我が実業家に対して不平なし。

一、備えなく仕度なき青年を無暗に支那に送るは不可なり。

一、我が国の最も憂うるところは、支那の動乱なり。我が国人しばしばこれを口にす。而も動乱ある毎に不干渉を称して敢えてこれが鎮静に赴く途を講ぜんとせず、而も口にはこれが鎮静を欲す。

一、今の経済同盟の如きは迂論なり。利あれば敵と雖も同盟す。

一、先我れの態度を言明し、断々乎としてこれに準拠して進行せば可也。彼尚疑を解かざれば、その失彼にあり。我の知るところに非ず。

彼もし借款を欲せばこれに応ぜば可なり。非行あらばこれを改めしむれば可也。外国もしこれを妨げばこれと論争すべく、暴力を加うれば干戈を執るを辞せず、彼の行為、我が主義に合すれば相伴に事をなすべし。

真実善隣の実を挙げ、誠意を以て支那の安寧を維持することに努めば可なり。

徒らに小策を弄し、小術を以て親善を期せんとするは我れ自ら欺くものなり。

一、大谷光瑞曰く「我が国小なるに非ず。兵弱きに非ず。国貧なるに非ず。実に憂うるは人の驕れるにあり」。

一、日本の軍備に投資することは、支那投資と一般なり。日本は資金なきを憂えず。資金は安全なるところに来る。

一、経済的に支那によりて利するの途は、ただ支那に平和を与える事。

一、関税収入の如きは一部分に過ぎず、地租によるを得ば財政は忽ちに整理さるゝに至るべし。
一、支那の現状にては、有価証書は何れもその価格を保持せず。
一、今の支那人をして、心より日本人と結ぶ事の生活の安全を亨くる所以なる事感得せしむれば、彼らは我々に応ずる事。尚北米に於ける支那労働者が一度白人の迫害に遭う時、能く日本人と一致行動をとるによりて知らるべし。
一、支那保全は現在に於いても、列国殆ど日本を一方の対手国として支那の保全を約せるものにして、支那自身に向かって誓約したるものなし。即ち知る。支那の領土保全は、日本の実力と外交とにより、日本に対して確保され居られるものなり。この意味に於いて、支那の独立は日本の保障によりてその主権を保てるものなり。
一、支那の政治機関をして日本の立場を領得せしめ、日本の政策を尊重し、これに関連する問題に対してはこれを自己の問題として迎え、自備策としてすべてを日本に聞くの義務ある事を意識せしむる様にするを要す。
一、日本の有力者の支那に来るもの少し。大臣、政党の首脳者。
一、支那の産業革命は、支那人の覚醒すると否とに拘らず、世界の大勢上遠からず支那全土を席捲する問題也。
一、支那大陸は、盛に西洋の文物を移入して、これに華やかなる文明を振興せしむる必要あり。東洋人の占有するを許さず。
一、日本人は今の約法の民治に役立たざるを言う。余曰く「然り然れ共今の約法は死せる孔明生ける仲達を走らせたるの類にして孫ら民党一派の作戦用意に過ず、もし、外力にして反対派を助くる事なければ、相当の憲法も生まるゝに至るべし」。

一、支那に於ける広大なる産業上の生産要素は、未だ利用されずして埋没されたるまゝ存在せり。

一、長髪賊に十七年を要したり。而も英仏人の援助なかりせば、終に平定するを得ざりしなり。現状のまゝにして支那が平定することを期するは誤り也。

一、言うまでもなく、率先、支那の市場を開拓したるものは英国なり。英国を始めこれら欧州人を排し去らんとする論は否なり。

一、欧米に於ける対亜細亜論調は一革新を来せり。この機運を利導し、我が所信を披歴し、彼らの欲するところを明にし、公平なる見地より対支政策を樹立すべし。

一、日支銀行の存在し得ざる理由と経済政治分立観。

一、支那に於いて革新すべきもの多々あり。最大なるものは政治の改革なり。政治機関の改善は即ち支那改造を容易ならしむる最大なるものなり。而して政治改革の中、最要なるは中央政府に権力大ならしむる事なり。中央の力大なれば実行力現れ、命令行わるゝに至り、秩序初めて回復す。百般の施設改造は然る後の事なり。

一、而も支那人によりて実力あり権力ある中央政府の樹立を期待するは、迂濶なる注文なり。如何にしても外界より力を以て時の中央政府を援けて集権主義を採らしめ、以て統一の実を挙げるを前提とせざるべからず。これをなし得るは日本を以て最も便とすべし。日本が一挙すれば容易出来る事業にして、地方的反抗や不平分子の陰謀の如きも一喝その死命を制するに足るべし。

一、合理的に中央集権を行わしめ、外部を日本に一任せしめ、安んじて内部の改善改造に従事せしむべし。

一、支那の改造の目的は、支那を食い、支那を殺さんがためにあらずして、支那を活かすためなり。故にこの業は列強と共に協力せざるべからず。この目的を以て対する国はこれを歓迎し、敢えて排斥するの必要なく理由なし。

一、世人やゝもすれば対支経済的発展をなせば可なり、特に政治上の行動をとらずして可なりとなすものあり。

一、日本の主張と迎合する支那政府を助けて支那の禍根を社絶するの方法を講じ、日本に信頼せしめ、日本と終始せしむれば……

一、或る特殊国と利益共通協約を締結すべし。

一、支那に対する一知半解より来られる重大なる過失である。

一、支那人が自己の立場を心より諒解するにあらざれば、日支親善なぞは行われず、而も今の支那人の如く野郎臭にては望みなし。

一、政治は力の問題なり。今の支那人に力なきことを知りつゝ、尚支那人をして政治問題を解決せしめんとするは迂なり。

力なければ政を行うこと能わず。力は政治の基本なり。力の伴わざる主義主張は夢の如し。

一、支那を解放し、生活状態を改善すれば、日本人も多数支那を家とすることが出来る。

一、支那紡績と日本の紡績――社会問題

一、支那人との提携は、政治改革が成就し、即ち統一され、鞏固なる政府を有したる上にての事なり。

一、支那の軍閥は絶対的個人権勢主義にして、国家の存亡と相係わる事少し。

一、一度思を支那の現状に馳せたならば、何人も今後に於ける東洋の大問題たることを首肯しよう。

一、日本は自国の平和、独立のために、自ら主人公となって支那問題を解決せねばならぬ。日本は他の列国をして支那問題を解決させてはならぬ。どうしても日本が主人公になって解決せねばならぬ。

一、朝鮮問題には一定の方針があったが、支那問題には一定の方針がない。いつもその場限り、都合のよいようなことをばかり言ったり、やったりしている。

一、日本は由来、国際間の解決に外交を重要視し過ぎるの傾きがある。しかし、これは偏見である。問題は実力である。備えあるの如何である。一度利害関係が衝突したなら、外交は何らの効力を価しない。実力と備えあることは、国際問題の最後の勝利を意味する。

七　日支経済提携論

註：世界大戦中〔一九一五（大正四）年頃〕に執筆したものと推定される。

北京・中日実業有限公司の便箋に認めてある。

森恪の述べる論旨は、我が国の立地条件から現代も十二分に考慮に入れておかねばならない問題を提起しているのではなかろうか。現代の我が国の安全保障体制は米国に依っていると言っても過言ではない。されば森が唱える経済提携論を以てして論法を換言するならば至極的確であると言わざるを得ない。

それにしても、原稿が途中で切れていることは誠に残念である。


欧州交戦国の各々が多くの装飾的美辞を口にすれども、自己存立の必要に迫られて立ちたる、又人道を口にせる米国が白耳義（ベルギー）、希臘（ギリシャ）の中立侵害に起たずして、自己人の利益の侵害されたるに及んで起ちたるを思えば詮ずるところ、欧州大戦も自己生存の必要に起因する事明白なり。然り今や、世界の大勢は小弱国の存立を許さず。国大なりとも弱ければ立たず。国強しと雖も小なればその強を持続するに由なく、今次の大戦は、明に、自給自足の不十分なる国は今後の世界に独立する資格なき事を示せり。即ち強大国にあらざれば、今日以後国をなすの資格なきなり。故に利害相等しきもの相寄り相助けて、一国は強大とならんとするが事が今の世界の趨勢なり。

即ち弱国小国は強大国の間に中立を守る事能わず、如何なる場合にも国民の安全を維持するには富強自ら恃み、自給自足の基に立ち得る覚悟と用意を以て偽装的平和状態にあらざるべからざるが世界の大勢なり。

我が日本は幸に強国の範に列する事を得たれども、国小にして物資の欠乏、人員の不十分なる点に相到する時は、到底今次欧州大戦の如きものに耐ゆる能わざる事を知るべし。

我が日本人は衣食の二点に於いて、既に多く動かされつゝあり。試みに日本人の衣の原料たる毛と綿とについて考えれば、毛織物は加工品たると原料品たるとを問わず、毛の殆ど全部は海外特に亜細亜以外の地の供給を仰げり。次に綿花は、日本の年消費額五百五十万屯に対し内地産は一万屯を超えず、残りはすべて外国に仰げり。一度輸入の道途絶えんか、日本工業の主要を占むる綿原布工業は忽ちに業を休み、財界の大恐慌を来すべし。即ち我が国の服料問題は全部外国の供給に待ち、頗る危険なる地位にあり。我が日本は如何なる代価を支払いても、服料の原料を如何なる場合に於いても安全に仰ぐ道を講ぜざるべからず。

又更に食料について考えるに、我々は今日と雖も多くの穀類を外の地より輸入せり。邦人の常食たる米の如きすら生産額は消費高に及ばず、二、三百万石を輸入し、その輸入の率は逐年増加の趨勢を示している。食料の供給は今後の日本にとりては大なる問題とならねばならぬ。啻に米のみならず、小麦、小麦粉、大豆その他の穀類又は穀類と至大の関係を有する肥料の如きは、大部分国外の供給を仰げり。これら食料に関するものゝ総輸入額は、今日に於いても日本の総輸入額の約二割を占めつゝあり。日本は衣食の問題に於いて、有事の時は杜絶の恐れあり。平時と雖も、関税政策に対して危懼の念を懐かざるべからず。故に日本は、衣食の上に於いて自給自足する事能わざる也。これ国の政の任にあるものゝ工夫なかるべからざるところなり。

欧州大戦の経験が、あらゆる製造工業が利用され而もその規模が大ならざれば不可なる事を教えている。国家の自衛上必要なる兵器、軍需品の独立なる点より、我が国の戦時動員せらるべき製造工業の全般を大観する時は、真に慄然たらざるを得ない。中にも金属工業、特に製鉄製鋼事業に思いを至せば、断じて現時の如き姑息的態度を許さない。平時三十円内外の銑鉄が、供給上の関係から一躍二百円以上の約七倍強の高価を唱うるに至るのみならず、価格の如何に係らず、供給の道なからんとするが如き有様にあり。而もこの鉄の供給に関して、我が国は如何なる具体政策をとらんとしつゝありや。

支那の鉄山が我が国人に向かって封鎖されつゝある事に対してすら、未だ一片の抗議をすらなしたるを聞かざるにあらずや？　その他百般の工業に於いても、原料の供給、製品の販路などを追求し来る時は、明らかに我が国の現状が自給自足し得ざる状態にある事を知るべく、これら不足不給に向かって今日も尚補給準備の周密真面目を欠きつゝある事は、国家を冒険的位置に立たしむるものにして、識者の一日も忽せに付すべからざるところなり。

論じてこゝに至る。吾人は、只面積広く各汎に亘りて、生産消費の力を有する能力に訴えなければならぬ事が分明である。又この大戦は、戦闘員は固よりこれ以外にも多くの人員を要する事を教えて居る。我が七千万の人員を以てしても、今後の大戦には不十分である。この不足はどうしても支那人を俟たねばならぬ。

日本は現在に於いても、誰から頼まれたという訳もなく、自己の存立の必要上、支那大陸を包含したる大なる海岸線を防禦している。日本だけの国力を以て支那大陸の防禦までも負担している。支那が今日崩壊を免れつゝあるのは、一重に日本の兵備の御蔭である。

支那は日本の御蔭を蒙る事非常なるに拘らず、支那自身として今日までのところ、余り多く日本に報いて居らない。或意味よりすれば、不安定なる支那は反って日本を毒しつゝあるとさえ言う事が出来る。日本は支那の国防を負担する代わりに、報酬を要求する事が当然であるのだ。けれども、後進にして無資本無位置の日本が世に出づるには、個人の例に於けるようにやはり実力相応の位置に座るまでには多くの犠牲を払わねばならぬ様に、今や日本は多くの犠牲を払ったに拘らず報いられずにいるようなものだ。この趨勢は長くかくあらしむべきではない。早く実力相応の代価を得て、更に第二の国志に進まねばならぬ。即ち日本は今や強国となったが小国である。今後の世界の適者生存の意に副わんと欲すれば、大国とならねばならぬ。俄かに大国となる事が出来なければ大国と等しき位置に国を持って行かねばならぬ。支那は昔ながらの大国である。弱国は、その国如何に富み、その国如何に開くとも、今日以後の世界には徒らに他の餌となるのみにして、自立生存する事はむずかしく、政治の如きも如何なる聖人が現れて立派なる政治を布いても、一度強者現れてこれを蹂躙すれば忽ちにしてその政治は乱れて民は苦しむ事になる。白耳義(ベルギー)の国を失うに至ったのは弱国の運命を示す好例である。

支那は、進んで自ら強国となるか、他の強国の庇護の下に生きて行かねば存立する事が出来ない。支那人自身は余り気付いていないが、現在既に日本の庇護の下に生きて居るのだ。日本は自衛上であるが、その力を以て支那が存立して居る事を内外に対して保証している。

即ち政治的に言えば、日本人は支那人の生命財産の安全を守り、その領土を保全しつゝあるが故に支那人を指導し、必要とするものゝ供給を得るの権利を有して居る。支那人は日本人によって生命財産の安全を守られ、その住める領土を保全して貰っているが故に日本人の指導に信頼し、日本人の必要とするものを供給すべき義務がある。語を代えて言えば、日本は支那大陸を離れては自給自足の独立状態、即ち経済的に独立を保つことは出来ない。支那は日本を離れては政治的に立って行く事が出来ない。二者は一つなるべくして二なるべからざる運命にあるのだ。邦人が支那を他国として思考するを得ざる事知るべきにあらずや。更に切言すれば、日本は自給自足の道を支那大陸とこれに住する支那民族によって講じ来らんとするのである。而も支那を現状のまゝに放擲する時は、到底日本の希望の達し得らるべきにあらざる事は支那の国性上よりこれを論断し得る次第にして、日本としては対支政策なるものを根本的に樹立して一日も早く強大国たるの準備を供へざるべからず。日本が強大国の資格を作り得るは独り支那を相対として解決さるべきものにして、天上天下支那以外にこの希望を充たし得る天地なきなり。

更らに簡単に言えば、日本は支那大陸とこれに住える民族を善用する事が出来れば、即ち日本自身強大国の実を満たし得る次第故、これで第一段の目的は達せられるのである。而して如何にしてこの民族とこの大陸とを我らに善用し得るかが問題である。大陸の生産能力を利用して我が衣食や諸工業の原料を仰ぎ、又その消費力を利用して製造工業の仕上げ品を捌き、以て平時に於いても有事の時に際しても自給自足の途を安全にする事である。欧州戦前我が国の貿易の六割は亜細亜貿易、二割半が欧州貿易、一割半が対米貿易であつた。即ち我が国が四割を対亜細亜貿易で増加する事が出来たなら、アメリカの如くいわゆる対内貿易だけで日本の飯を食って行く事が出来るのである。海外貿易の途を絶たれても飢えて死ぬ恐れはないのである。亜細亜内だけの貿易で日本の経済が成り立って行く様にする事が急務であるのだ。然らば如何にせばこの希望が達せられるか、これが即ち吾人の対支政策のすべてである。

　試みに肥料問題を一蔑せよ。英国は今度の欧州戦争を人類のため、世界文明のためと称して居る。然らばこれらの戦費はやがて世界全体が負担すべきものであるとの結論を与えるに相違なく、如何にして世界各国にこの負担をなさしむるか。英国支配下に属する植民地より輸出するところの品物に対して課税すれば、その消費国は英国の戦費を分担したる事になるのである。インドの綿花の七割は日本に輸入されて居る。日本で消費する毛類の原料の大部分は英国の植民地から来る。これらが平時に於いては課税され、有事の時は輸出を閉鎖される時は、我が工業界は非常の事になるのである。而もかくの如きは頗るあり得る想像である。英国は自国の工業を発達さすためには他国の工業を破壊するに何ら手段を選ばなかった。インドを取った時に、インドから木綿や絹の原料を輸入して、木綿や絹は英国からインドへ輸出してインド人に買わせた。アメリカに対しても、一本の釘すらなるだけアメリカでは造らせないようにして、製造品はすべて英国から輸入する様にさせた。一七五〇年にマサチューセッツ州で帽子製造所が設けられた時に、英国の議会では「これは英国の植民地政策に矛盾するものである」と言って大なる議論が沸騰した―最近我が陸軍が花巻で大規模のダイナマイト製造を始めようとした時に、英国の大使が抗議を申し込んで終に中止させた事実すらある―過去に於ける英国の政策は如上である。今も尚必要に際しては、かつて攻撃したドイツの軍国主義をすら真似つゝあるのが英国だ。

　やがて我が工業に打撃を与える手段をとるべきは明白である。必要に際して彼らは如何なる事でもする事は今度の戦争で明白である。然り而してこの不足を何れから得るか。支那大陸から得るより他に途はないのだ。支那の五分の三は綿花を産し得るのだ。而も何ら手を加えないために、その産出は微々としていうに足らない。米国は一エーカーの土地から四百封度乃至六百封度の綿花を取っているのに、支那は僅かに百八十封度乃至二百五十封度を産するに過ぎない。これは必ずしもアメリカと支那の土地気候の相異からこの優劣を生ずるものと思われない。一方は非常に人工を加えて居る。一方はただ自然の成り行きに放任して居る事が、この相異を生ずるのだ。もし、日本が台湾島に砂糖を奨励した様に支那も綿花に対して種子の改良、栽培地域の増加などあらゆる保護開発の策を講じたなら、幾年ならずしてインドやアメリカに代わって日本の需要を満たし得るに相異ないのだ。然れども今の支那の状態でこの改良進歩を望む事は無理であり、又不可能である。中には多少の機関を設けて改良を計ったものもあるが、未だ成績の挙った例がない。吾人は支那から綿花の供給を仰がねばならぬ。供給を仰ぐには支那から良き綿花が多く出る様になって貰わねばならぬ。支那人に任せて置いては幾年掛かゝってもこの望みが達せられぬとすれば、どうしたらよいのであろうか?

又支那の殆ど全部は毛類の産地である。只一向手を加えないために産額も増えない。品質も不揃い不良である。これも綿花と同様、相当に工夫すれば日本の需要の如きを満たすのは易々たる事である。我が国の毛織物が一旦事ある時に断然危険状態に陥る事を考えたら、どうしてもこのまゝ…（以下なし）

八　普選問題

註：原内閣時代、第四十三議会後、一九二〇（大正九）年十一月四日より十二月二十七日までの間の稿。

一、我が政治史を見るに、今の在野党（憲政会）に関係を有する政治家は従来伝統的に事物を悲観する習癖あり。彼らの口を籍る時は、「政局に立つ者は悉く無為無能なり。政府のなすところはすべて無責任なり。非立憲なり。外交はすべて失敗なり。内治は皆秕政なり。財政は行き詰まり、国家は破産に迫れり。国民の思想は日に月に険悪に傾き、悪化して社会の秩序は乱れんとす」となし、人の短を責め、人の失敗を願い、政府を罵り、与党を譏りて以て能事了れりとするの風あり。

一、彼らの口にするが如き真相なりとすれば、国家は既に亡国とならざるべからざるに、外交失敗、内政行詰、財政破産などの咒詛の間に国状は急速に且つ宏大なる発達進歩をなして、彼らの思い及ばざる大帝国となれり。特に明治二十年以前において国費は僅かに七千万円にして、而も時の政治家は民力休養を絶叫したる有様なるに三十年には二億一千万円、四十年には五億九千万円の国費を負担し、この間日清・日露の両役に遭遇し、本年は十三億、明年は十五億数千万を負担して綽々余裕あるの状態なり。

一、私は徒らに楽観論を喜ぶものではありません。ただ国勢が進歩向上の盛なる間に、独り在野党の政治家は常に悲調を帯びたる言論のみを弄せし点については、大に研究考慮するの必要ある事を感ずるものなり。

一、在朝在野の政治家の見解の内、果して何れの主張、節制、力量が国情の真相を得たるものなるかを識別して、国策の上に公正なる判断を与えらるゝは諸君の責任であります。従ってこの機会に於いて我が党の主張と国策上に対する用意何れにありやを陳述して、諸君の御参考に資するは私の義務と考えます。

一、立憲政治に於いて国民の有する権利の中、最も重大なるものは**予算審議権**であります。而して第四十二、四十三議会を通過したる予算の中で最も注意すべきものは、歳出十三億数千万円の半を費やしたる国防計画であります。国費の半を費やしたるこの問題に対する我が党の所信は、やがて他のすべての問題に対する態度であります。（中略）

一、第四十二議会が解散されましたる直接の原因は**普通選挙問題**であります。従って第四十三議会にもこの問題が在朝在野の各党によって議論が交換せられました。来らんとする第四十四議会に於いても繰り返さる事と考えます。従ってこの問題に対する私の見解を明に致しておく事は、私の諸君に対する責任と考えます。

一、普通選挙即ち、選挙法に関する問題を論ずるに当たり、選挙権の根拠如何、これ先決問題であります。選挙権が国民固有の権利であり、原則上、国民のすべてに与えらるべきものであることは論を俟たないのであります。又選挙権に制限を認むべき理論上の根拠ありとすれば、それは租税の納付の有無、又は多少に非ずして政治に参与する能力の有無、又は高低にあらねばならぬ、ということも問題ではありません。特に選挙権は国家の目的を達するために行使するのでありますから、選挙権を行使せしむることがよろしからずとする特種の事情にあるものを列挙して、これを除外することも異議なきところであります。

一、然し独り選挙権の事のみではなく、政治上のただ純理のみで決める事は出来ません。やってみて悪かったから直ちにやり直すという事を許しません。政治上の事は、その結果については必ず責任を持たねばなりません。政治家は自己の所信に忠実なると同時に、その所信が社会の実際に臨んで思わぬ損害を与えるなどの事なきや否やを十分に考察する必要があります。

一、在野党の諸君は、普通選挙を実行する時は直ちに理想的政治社会が実現するかの如きことを唱導して居ります。然し**普通選挙**は左様に多きを期待すべきものではありません。単なる選挙法の一形式であります。直ちにこれを実行せざれば国が亡び、社会の秩序が乱れるというが如き問題ではありません。一年、二年その実行が遅れたりとて、局面に大なる変動を生ぜしむるものではありません。

一、彼らは我が党を目して普通選挙反対なりと唱導して居ります。これ誤れるの甚だしきものであります。選挙権の拡張は我が党伝来の党是であります。過去に於ける選挙権の拡張は、我が党になってなされたのである。十五円を十円にしたのも我が党である。十円を更に三円に低下したのも我が党である。未だ他党によって実行されたることはないのである。過去既に然り、将来も又この大問題が独り我が党によってのみ解決せらるべきは勿論である。今日は一大革新の時期である。これを平和的に成立せしむるには選挙権を出来得る限り拡張して、苟も参政能力を有する国民のすべてをして協力一致せしむる必要ありとするものは我が党である。

一、ただ如何なる形式内容を有する選挙法が時代の要求に適当し、国風国情に合致するやかが問題であって、この点に関し、理論上実際上安心の出来る答案を得たる上、初めてこれを断行せんとして居るのである。

一、元来選挙法なるものは、その関係するところ頗る複雑である。在野党の連中が唱うる如く、問題の要点をただ権利の拡張という一点に集中することは危険である。選挙制度の完成を期する目的よりすれば、区制の問題、罰則問題、年令、居住の問題、何れも重大である。特に政治教育の不完全なる我が国情に於いては、単なる理論のみでは解決を許さない。選挙権そのものとは直接関係がないが、実行問題として重大なる影響結果を与えべき諸種の点を考察するの必要がある。これが適当でないと、全く拡張の主旨に反したる結果を生むの恐れがある。

一、我々は今の普選論者の声に耳を傾けないものではない。大に注意をして居るのである。然れども真面目に彼らの説くところ、発表せるものを研究すると、如何にもその態度に誠意なく、その内容研究未熟なることが発見され、これでは到底安心して国民に御勧めすることが出来ないと思うものであります。

一、第四十二議会解散は普選問題が主なる原因である。然らば総選挙に於いて彼らは終始この点に国民の判断を争うのが当然であるが、彼らは特殊の場合以外、殆どこれを口にすることを避けたのである。又十一月四日築地精養軒の会合に於いて、彼らの領袖又は主要人物は過去に於ける彼らの行動の不真面目なりしことを侮い、その論旨の不徹底なりし事を告白して居り、彼らの行動と彼らの告白によって判断すると、彼らの従来の行動は多く人気取りであり、彼らは真正なるこの問題を党争の具に供したりと論断されても弁解の辞がないのである。

一、憲政会の普選の条件に「独立の生計」という語あり。如何なる状況を以て独立の生計を営むというか、甚だ疑われる。今日の社会組織に於いて我々が独立の生計を営み得るや否やは、社会組織如何によって決するのである。社会組織によって変更せらるゝのである。然らば独立の生計を営み得るや否やは、政治の結果によって決するのである。然らば選挙が政治を左右するものである以上、政治によって左右さるゝ独立の生計を営み得や否やを選挙の標準とするは明白なる錯誤である。

一、我々は近く選挙法の改正を断行するの必要を認むるものである。現に現行選挙法に於いて一旦与えられたる選挙権を所得税法改正の結果消滅したるもの少なからず、政治の上に社会政策を採用すればするほどかゝる矛盾が生ずるのであって、これは一日も速に改善されねばならぬ点である。我々が十円を三円に低下せしめたる時、小選挙区制を採用したるも他日普通選挙に至らんとする前提としての準備行動である。又最近陪審制度を制定せんとするも又その用意である。

一、彼らの宣伝の益あり。

一、桂公の言と普選実行期。

九　政策なき憲政会

註：原内閣時代、一九二一（大正十）年頃のメモ。
政党政治の建前から、いつの時代も政権反対党は内閣倒壊を標榜する。それしか策はないのだろうかと疑念が呈される。

○憲政会は最も有力なる在野党である。立憲政治の常道よりいえば、原内閣の次に政権を組織するものは憲政会である。然るに政権が一向に彼らに移る模様のないのは何故であるか。憲政会の起こす種々なる運動は何れも内閣倒壊を標榜して居る。原内閣を倒すことを以て政治運動のすべての目的としている。けれどもかくの如きは政治思想の変化したことを知らない結果である。以前には政治といえば内閣の変動以外には興味を持たなかった国民も、今日は政治の実際について考え、政策の内容に対して興味を有するようになった。内閣の首班が誰であるかは問題ではない。要求するところのものは内容の充実したる政治である。政府に対する要求目標は政権が誰の手に落ちるということではなくして、如何にして如何なる政策が行われ、如何なる政治が実現するかである。政治家の政治運動は政治問題、個々別々の問題に対して純真なる目的を以て努力することにある。即ち普通選挙の問題ならば、完全なる、実行し得べき選挙運動を唱導すべきである。この自信ある努力によって初めて政治運動の勢力が生ずるのである。国民の同情が起こるのである。然るにこの努力をなさず、先ず問題を提唱するに必ず内閣倒壊を標榜する。即ち政争の具に供するものなりと論断されても仕方ないのである。自信なき彼らに政治は行われなく、何が生まれるかには国民が冷静に考えた時の疑問となるのである。
○ニイチェ「汝の脚下を深く掘れ、さらば泉湧き出ん」とある。憲政会の諸君は自らの脚下を掘るが良いのである。
○昨年の夏の議会の折も、閉会と共に内閣は辞職するという説が伝わった。今年も議会閉会と共に辞職すると言われた。而もそのことなくして止んだ。立憲政治の世である。議会の政戦が終わり、内閣はこれより実行の時期に入る。その実行の時代に何故に辞職するか、不審千万なる流言である。
○今の反対党は徒らに無用の辞を弄して人を驚かすに過ぎず。議会の質問者は自ら最も知れるところを質し、少しも真の質問をなすものなし、いわゆる攻めんがために、自家広告をなさんがために弁を弄するに過ぎず。
○国民に訴うべき経綸を示さず、漫りに次の政府は我なり誇揚するも、国民はこれに耳を傾ける事は出来ない。

十　財閥とは何ぞや

註：一九二一（大正十）年頃のメモと推定される。

世に金持ち心理なるものあり。自分個人一個の都合よき理屈の下にその求むるところを得んがためには他人の不幸、他人の苦痛の如きは何年でも我慢すべしとし、苟も自己のために不利にして欲せざる事に対しては、強弁、是事とし、以て一時を瞞着し去るのである。

今の金持ちが使用人に対してなすところは如何。今の工業経営者がその労働者に対するところ如何。**彼らは好んで温情主義を口にする。而もこれ温情主義なる美名に隠れて自己の利益を保護し、その使用人に対し、その労働者に対して当然なさざるべからざる事を回避するに過ぎざる事は天下周知の事実である。**

今の金持ちの金、財産はそもそも如何なる手段、方法、機会によって得られたのであるか。大倉、安田は如何。三井、三菱は如何。彼らの多くは真に彼ら自身の勤勉努力義務奉公の念によって克ち得たるものであろうか。勤勉と努力はあるであろう。義務奉公に至っては断じて認める事は出来ない。

明治初年に於いては三井を除く他すべて赤貧洗うが如きものであった。彼らの出発点は何であったか。時の権力者と結託して富を造る基礎をなしたる事は諸君の知らるゝ通りである。

遠くは勤王佐幕の戦に於いて、西南戦争に於いて、台湾征伐に於いて、近くは日清、日露の二大戦役に於いて、国家国民はその存立のために血を流しつゝある時に、この機会を捉えて富をなしたるものは彼らである。

戦争という最も不経済なる仕事の後に必然的反動として来るものは金融の逼迫であり、不景気である。これ全国の経済歴史が我々に示すところである。我々日本人が数度の戦後に襲い来れる財界の不況に対し、物を売り、産をつぶし、涙を以てその生活を維持せんと苦しめる間に、この物を奪い、この産を集めたのは彼らである。**戦争という国家の不幸は、彼らの事をなす大なる機会である。不景気という国民の災厄は彼らの富を造る大なる坩堝（るつぼ）である。**

十一　労働・資本・国家及び憲法について

註：一九二一（大正十）年頃（原内閣時代）のメモ。

一、労働問題

○何故に労働者はこれを保護せねばならぬか。労働は言うまでもなく生産の一要素である。労働が盛にならねば、資本も土地もその効果を挙げることが出来ない。労働者をして永く十分にその労働の供給をなさしめるためには、こゝに労働者を保護する事にせねばならぬ。即ち、資本家と労働者の間に生ずる権利関係、法律関係も自から制限を受け、国家が干渉的に種々の施設をなす必要が起こるのである。

○その保護の方法を実現する結果として、従来の法律上の原則や風慣に多大の例外を認めることになる。所有権は不可侵であるというが、労働者保護のためには、土地や建物の所有権に対して種々なる制限を認める。契約の自由は尊重されねばならぬのであるが、労働者保護のためには、契約の自由、特に婦女や少年やの契約に付いては数多くの干渉をなすのである。損害賠償の理論も変わってくるのである。強制保険の制度も出来ねばならぬのである。

○併し労働者保護の趣旨は、資本家階級と労働者階級との間に争いをやらせるというのではない。両者を平等に取り扱って互いにその人格を認めしめ、社会全体の上から統一的に円満なる存在を全うせしめたいというのである。

○十九世紀頃の法律思想は、所有権と契約の自由とを認めることによって各自の人格は完全に保護せられると考えたのであるが、大工業の発達した今日に於いては甚だ不十分である。

○現代文明の要点は、大きな資本の利用によって産業が著しい発展をしたという点にある。それと同時に資本階級が出来て、産業上の利益を襲断するという点にある。所有権と契約とが遺憾なく発達したという点に現代文明の意義が存し、その遺憾なき発達から社会問題が発生したことになる。資本の増殖と利用とがなかったならば、現代文明はなかったのであろう。吾人は資本の保護尊重という事を一日も等閑することが出来ない。然しその資本の利用のために、資本階級と労働階級との対立という現象が発達した。

○労働者階級とは社会組織の手足である。社会の組織的活動の上に於いて、階級として手足の分を行うのみに過ぎない。これ労働者階級の天職である。いわゆる労働は神聖なりの観念によって生ずる所以である。手足には手足の自覚がある。その自覚せる天職の発揮によって始めて手足の尊重が認めらるゝ。

○労働者は社会組織の手足である。故に労働者の生活不安の問題は無論、組織全体に不安を与える原因である。労働者階級の国家に対する関係は決して疎かにはならないのである。労働者の階級は果たして衣食に窮して居るのであろうか。事実世間には労働者階級以外に、生活難の程度は一層恐るべきものあるように思われる。労働者は、国家有事の際に於ける奉公の思想観念に於いて他の階級に比して恥ずべき行為をしたろうか。又平時に於いて、彼らの行為は国民的幸福の上に、他の階級に比して恥ずべき結果を与えたろうか。精神に於いても又実行に於いても、何ら他の階級に比して国民的立場の上に恥ずべき点はないのである。

○生存の自由、即ち生命の安全が保証されるは、生活の安定という事と混同してはならない。生活の不安とは、生命の安定を保証されてのち初めて起るべき問題である。生命の不安に襲われたなら、生活の不安は問題とするには足りないのだ。—国際生存も又この通りである。

○労働立法は労働運動の取り締まりを目的とする警察法規ではない。労働者の向上と幸福のためにする労働法規の整備を意味す。

○**私は社会主義又はその運動を否定するものではない。只我が国にはこれを許す事が出来ないと言うまでゝある。**我々は今や国際的に歴史に見ざる激しき競争に面せり。これを切り抜ける手段としては速やかに古き方法を一擲し、能率本位に最新の機械を用い、設備を整え、精力の集中する事を大方針とすべきである。（科学的研究）労働者が産業上に於ける大なる要素である事を解せぬ事業家は、人の目上に立つ資格なし。

○**我が国は怠け者、産業の経営、海外貿易の実情を解せざるものは、労働組合を指揮する資格なし。**

○国内に一致なく、心に努力する意志なき国民が、どうして世界に対して我らの意思を行うことが出来ようか。

○奥州酒田の本間家に殿下御宿りになりたる際、主人に向かって「平常は何をしているか」と聞かれた時、主人は答えるところを知らず、終に大に反省して、今は懐手の過去をサラリと止めて雇人と共に野に出て苦楽を分かつに至れり。

○工業。経営方針誤れり。日本の労働者は国内に於いて常に軽視されて居る。日本の企業者は習慣的に事業成績の上がらぬ理由を労働者の欠点無能に帰せんとするが、私の経験によれば、日本の労働者は教育、指導、給料及び栄養を十分与えれば、何れの国の労働者にも遜色なき素質を有せり。即ち日本の労働者は能力を低く評価されることに責任はない。浪費は管理方法の誤れる見解に起因する。何れの国の労働者も最少の努力を以て最大の資金を得る事を欲する。彼らの仕事によりて良好なる且つ利と益ある結果を得る事に指導し訓練するは、実に監督者の責任なり。監督者自身に仕事に確信あり、自己の命令に自信がなくてはならぬ。全局員に経済的観念を与える必要あり。

○日本の職工長たり、監督者たる者は未だ実地練習が足りない。労働者程の実際上の経験が足りない。信頼するに足りる経験と精力大なる以外、普通教育さえあれば他の資格はいらぬ。真に力の源泉たる実際的仕事を軽視する趣きがある。自分の部下の仕事の一点一画にも精通し、必要に応じては何時でも部下に代わって仕事をやることの出来ない監督者は、部下のお情けに依頼するので権威がない。

○日本の技師は学校で教育され、学理的の知識は豊富にして多くは良技師たる第一の要件は理論的研究と思惟せる様なれども、技術者としての点の教育は学校卒業後に開始される人生という難しい学校に於いてのみ得らるゝものである。

○学校や書物では真の学問は得られない。日常生活こそ最も良き教室である。自分の体験によりて労働の苦を知り、労働者の思想、感情を諒得するにあらざれば能き技師となれぬ。

○私は永き在勤中、未だ生産費表を見た事がない。

○又私の必要と思う改善は、資金不足の名に於いて拒絶される。

○優良なる製品で日本の市場を独占する事は困難ではない。例えば薄板の如き日本では一定の大きさ品質のものを輸入して各種の事に用いている。

○もし我らの用途に従って適した品質、形容を購うことが出来れば、非常なる利益である。我が国の生産者が使用者の欲するが如き品物を製造販売すれば、輸入品は到底これに敵する事は出来ない。結局生産者消費者双方の利益である。

○日本に於ける人口、原料品及び市場の状態はドイツに似ている。両国とも共に品質の良き商品を製造する事によらねばならぬ。

○過多の労働者の使用により労働力が浪費されて居る如く、**役人の数も他国に比して多すぎる。役人の多きは、給料の冗費のみでなく、意見の衝突、秩序混乱、事業集中の減少、責任を薄くし活動の範囲を制限する。**

他の産業では少数の役人でより良き成績を挙げている。

○政友会

○産業立国を基調とす。

○税制整理

○世界の大なる転回が始まった。日本は再び生活を立て直すべきである。大なる理想に帰るべきである。**自由思想家、反動主義者らに日本の事を任すべきでない。**

二、資本

○現代組織に於いて、我々がある一定の物又は利益を自己の所有物として持っている以上は、その所有の事物はどこまでも保護されなければならぬ。その**所有権**が神聖とされない以上、今日の社会は一日も秩序を保つことが出来ない。又自己の所有物を他人の所有物と相交換して互いに足らざるところを相補って行く事は、生活上必要の事である。即ちこの交換は**契約**である。この契約が保護されなければ、今日の社会の秩序は一日も保持されないのである。この所有権と所有権を交換する契約という観念が尊重され発達したる事によって、人は初めて他の動物に比し優秀なる地位を保持し得たのであって、又社会の文化が進歩するのである。

○**所有権と契約とが尊重されたから現代の文明が生まれたのである。然し同時にこの両者を保護する制度の発達した結果として、社会の一部の階級は全く働かずして生存する事が出来る。**楽な生活が出来るのみではない。更に社会上の生産事業の利得を大部分所得してしまう階級が生まれるという事実が出来たのである。固より働かないで生産事業が効を挙げていく事はないのであるから、社会のどこかには盛んに働いている者があるのである。その者らの働きによる結果を働かない者に持って行かれるという事実が現れたのである。

○銀行家は生産資金を供給するがその本領なり。然るに日本の銀行家は金が遊金になろうが、投機に使われようが全然かまわず、担保さえあれば幾らでも貸す。これでは銀行家に非ずして明らかに質屋である。

○**銀行家が生産資金を出せば自然資本も潤沢になる。従って金利も下がる。生産増加、物価低落、輸出増進となる。**

三、国家

○**従来の国家の任務は、単に戦争と警察と裁判とに過ぎなかった。而して国家がかくの如き作用を以てを甘んじて居られた時代に於いては、社会上のその他の活動は個人の自由に放任し得たのである。従って社会現象は個人主義を以て説明し得たと同時に、国家の民臣に対する関係は、これを権力関係なりとして説明し得たのである。**併しながら近時に至っては社会上の事情、特に経済上の事情が著大なる変動を受け、いわゆる家庭的経済から国家的経済に代わる事になった結果、現代の社会に於いては、単純なる日常の事項にして尚私人がその一己の力を以てしては安じ得ないものが多いことになった。

四、憲法

○憲法を文化現象として考察する時は、それは社会と共に進化していくべきである、と考えられる。社会の秩序を保持するがためには憲法の進化性を認識し、同時にして憲法をして進化せしむる所以の理を忘却する事は出来ないのである。
○法律は決して道徳と背馳するものではない。
○憲法は吾人に一定の権利と義務を与える。吾人はこの権利と義務とを主張して吾人の社会組織を安全にし、社会的生存を全うするのである。
○従来の現象を説くに適当なりしという関係から、惰性的に今日も尚行われて居るに過ぎない。—政治は人心を倦まざらしむるにあり。民心は既に去れり—政治と趣味道楽とを混同せるよりこの種の謬想あり。
○声なき石もこれを打てば鳴る。
○**立憲政体には三つの意義がある**。その一つは**三権分立**である。立法、行政、司法の三者が異なった機関の手で営まれ、議会と政府と裁判所とが別々のものとされるという事である。その二は**成文憲法**である。成文憲法を制定するに至った主旨は、一方に於いて三権分立の主義を明らかにするにあったのであるが、他方に於いては人民の一定の権利を以て侵すべからざるものとするの点にあるのである。我が憲法について言えば、その第二章に臣民の権利義務という事が規定せられ、臣民の一定の利益、即居住、移転の自由、逮捕監禁、審問、処罰、住居の安全、信書の秘密、所有権の不可侵、信教の自由、言論、著作、印行、集会、結社の自由如きは法律を以て規定するにあらざればその制限をなす事を出来ぬとなっている。而してその法律というのは、議会の協賛を経た法律という特別の意味を持って居るのである。その三は**議会制度**である。法律の制定、予算の成立に関する協賛は、民選の議会に於いてこれをなすというのである。
　以上三つの思想は人民が国家乃至官吏に対し最早受動的のものでなく、自己の独立せる地位を有し、且つこれを主張し得るものなる事を明らかにしたのである。
○モンテスキュー曰く「初期幼稚時代に於いては人が国家を作り、その漸く発達するに及んでは国家が人を作る。即ち初めは人の国家なりしが、今は国家の人なり」と言う。実あり。
○法律の解釈は、立法者、起草者というような者の意見に拘束されてるものではないので、科学の要求するところにより、現代思想を以て現代の法律を解釈すべきものである。
○我々は法律の社会化を主張するものである。今日の法律は文理解釈によって理解すべきではない。根本的に理論より論定せねばならない。法律が杓子定規でなく、実際に社会と調和し、又社会を調和していくものになるのはその観念を必要とする。
○法律はいわゆる立法者の意思で定まるものでない。法律の内容はその正文の形式に拘束されるものではない。法律は社会文化の反響として絶えず変化し、発達するものである。第一に、社会の文化に適応せざるところの法律の正文は実際に適応されなくなる。第二に、多数の法律は時の経過に従って異なった解釈適用を受けることになる。而して第三に、単行法として交付せられるところの小さな法令が法典に掲げられたる原則に例外を設けつゝある事実に於いて法典の精神が没却されることになる。
○法律の規定と社会上の思想とが、解釈適用上、連絡を保つことが必要である。
○吾人は一方に於いて個人を尊重すると同時に、他方に於いて社会を尊重するのである。現代政治の理想は個人と社会との調和にありと称する事が出来る。
○個人を社会に同化せしむる現象を法律の社会化というべし。
○自分の所有する土地であっても、公の秩序、善良なる風俗に反してこれを利用する場合は、最早権利の行使ではない。不法行為である。
○海軍に於いては千万円の戦闘艦を操縦するには老年者は断じて使用せぬ。四千万円の資産は一億円のうちの四分の一払込の会社である。この大資産を動かすものは何れも大佐級の壮年者である。

○ウィリヘルム二世が鉄血宰相ビスマルクを評されたる語に「彼の態度は多数に尊敬せられ、少数に嫌悪せられたるものなり」とあり。既に彼が（不明）きんしても少数なる嫌悪者を有す。敵あることは公人として覚悟すべきなり。
○米国の憲法の種々なる疑点が今日の如く比較的明確になるに至れるは、一八六一年より六五年に渡れる南北戦争により数十億の費用と数百万の人命とを犠牲として武力を以て解決を与えた結果である。

十二　日本固有の国体と歴史と伝統

註：清浦内閣時代、総選挙の際に大阪府堺市にて行った山口義一氏への応援演説。

諸君。かく多くの諸君の前で愚見の一端を陳述致しますことは、私の光栄と致すところであります。ただ私は生来訥弁でありますから、定めし御聞き苦しき点が多かろうと考えます。何卒寛大なる度量を以て御聞き流しあらん事を希望いたします。

本夜この御会合は諸君がかつて選出せられました山口義一君のための御会合でありますから、議会の内容につきましては山口君より詳細に御説明がある事と信じます。又私の後ろには中川良長男爵が、清浦内閣成立の事情と議会解散の経緯について雄弁を振われる筈でありますから、私はこれらの点に触れるのを避けまして、平生抱懐しております所感の二、三を開陳して私の責任を果たしたいと考えます。

諸君、立憲政治の論理的出発点は国状に対する理解であり、立憲政治の実際的出発点は選挙権の行使である事は、何人も異議なきところであります。国状に対する理解なく、不当に選挙権を行使する国民の間には、到底立憲政治の発達を期する事は出来ないのであります。透徹したる理解のあるところ、偽らざる選挙権のあるところ、そこに立憲政治の美果が実るのであります。我々立憲統治下の国民は常にこの二つの見地に立脚して政治を考え、社会を観察し、教育、経済、外交を論断するの必要があるのであります。

我々は先ず国体を理解し、歴史を理解するの必要があります。国体と歴史を理解せずして政治に直面するは、頗る危険であります。即ち我々は好むと好まざるとに拘わらず、**我が大日本帝国は個人主義の国家に非ずして国家主義の国家であり、上皇室を中心とする君主立憲政体の国家であり、我々はこの政体を守る公民であって、決して個人主義の国家であるとか、又は皇室を否定し、天皇の神聖を疑うが如き民主主義の立憲政治ではない、という明快なる理解が必要であります**。

この点に関し確乎たる理解がありますれば、如何に世界の大勢が動きましても、国家に対し、国体に関して国民の不安は起こらない筈であると考えます。既に明治維新以来、皇室は先頭に立たれ開国進取の積極的政策をとられ、かつては我々の祖先が禽獣の如く考えて居りました欧米諸国民に対し、皇室より進んで彼らの礼式風俗を移入され、彼らの君主とか大統領とかに対等の御交際を開始され、最近には摂政殿下におかれせられても、親しく彼らの国内に彼らと共に起臥せられたと申す有様で、皇室御自身が範を示されたるに拘わらず、これによって皇室の御威光を損せられたることはないのである。即ち上皇室より門戸解放を示されたるに拘わらず、この御主旨がどうも為政者の間には十分徹底していない怨があるのであります。

又我が国には特有の歴史あり、伝統あり、習慣ある事を理解しなくてはいけないのであります。歴史、伝統、習慣は国民生活の上に離るべからざる大問題であります。国民の人格の淵源は全くこゝにありと考えます。然るに「歴史、習慣、伝統によって養成したる力は頼むに足らず、独り経済上の自覚によってのみ国家を負担する力が発生する」というが如き個人主義の国家に於いて流行する言動がやゝもすれば学者又は先達を以て任ずる人々の間に提唱され、これら一知半解の徒輩によって皇室中心主義の国体を乱さんとし、人の子を誤り、国家の秩序を破らんとする傾きがあります。我々は、経済上の関係から国の興亡を支配し、国民生活を左右する重大なる問題である事を否認致しませぬ。然れども国運の大半、国民生活の真髄が、その国の歴史、習慣、伝統によって育成されたるいわゆる**愛国心の至情の発露**にして決せらるゝものである事は断じて打ち消すことは出来ません。

かつて十九世紀の末頃、**英国に自由主義の文学が輸入され放縦なる享楽思想が滔々として一世を風靡し、すべての拘束を脱せんとする気風が一般に行われ、ために社会の秩序を全く紊乱して、国本ために動揺せんとしたる事がありました**。この時猛然として起こったのは**愛国者の声**であります。曰く「国民よ、暫らく目前の衣食住の問題より放れて、**眼を過去の歴史に注げ**」と。かくて英国人の多数の心は自国の歴史の上に帰り、固有の習慣を呼び起こし伝統を尊び、自国の文学芸術の尊き事を知りて終に御案内の如き底力ある国民性を発揮して、爾来二十世紀初頭の隆盛を樹立したのであります。

この理解あり、見解がありましたならば、近時欧米に於いて勢いを逞しくしております共産主義の如き、社会主義の如きによって国体の動揺を来すが如きことは断じてないと信じます。

例えば我々が外交を論ずるに当たり、先ず先決問題として、我々は国力の実際や国際的立場に対して最も明快なる理解を必要とします。その理解なくして外交を議するには頗る危険であります。（中略）

貴族院改革論

私は立法府の現状を見て甚だ不満足であり、政治の実情に適せず、今に於いて議会の制度の改善をなすにあらざらば、その能力を十分に発揮する事は出来ないと考えるものであります。

元来立憲政治なるものは、時代の最も強大なる勢力を引き来ってこれを国務の上に利導し、以てその能力を発揮せしむるにあります。語を代えて申しますれば、政治的勢力をして流血の惨事を見る事なく、いわゆる新陳代謝作用を円滑ならしめるにあるのであります。

然るに我が国の議会の現状は果たして如何でありますか。国民の政治的勢力は一部特権階級の壟断するところとなりまして、立法府にも行政機関にも十分に行き渡らないのであります。名は立憲政治でありまするが、実は専制政治であります。

国民は二院制度の中僅か衆議院に対して選挙権を有するのみでありまして、国民の政治的勢力を以て議会を左右する事は出来ません。両院の間には何ら政治的連絡を結ぶことは出来ません。貴族院は衆議院に対して独立であり、同等以上の権力を保ちます。貴族院は政府に対しても又々独立であります。衆議院に於いて多数を有する内閣も貴族院の反対を免るゝ事は出来ないのであります。政府衆議院共同一致の力を以てしましても、貴族院の意に反しては立法及び財政の事を処する事は出来ません。**而も貴族院は解散もなすこと能わず、反省も又促すこと能わざる、難攻不落の立場にあります。従って、かくの如き貴族院と、統一的連帯責任の組織にあります我が内閣制とは、その根本に於いて相容れざるものがあるのであります。**

即ち**我が国立憲政治の禍根は実にこゝに伏在するのであります**。彼らが一度その分を忘れ、今日の如く不当に活動を開始し、自己は言論の自由、難攻不落の要塞に立て籠もり、衆議院における一部の者と相計りて政治的陰謀をなすに於いては、到底政治の安定を期する事は出来ないのであります。**我々は終に進んで貴族院の権限を縮少するにあらざれば、民意暢立の政治をなすことは出来ないのであります**。

今や、内に外になすべきことは頗る多いのであります。而もこの貴族院の問題程重大なる問題はないのであります。この問題さえ解決されたならば、他の問題は国民の必要に応じて刃を迎えずして解決する事が出来るのであります。

我が国の国民的運動の標的は実に貴族院の問題であります。我々は早く既にこの点に着眼しまして、**山口義一君、公爵近衛文麿君と共に憲法研究会なるものを組織して貴族院問題解決運動に着手**したのでありまして、我々は穏健なる方針をとり、貴族院自体をして進んで解決せしめる事を希望したのでありますが、驕慢なる彼らは終に覚るところがないのであります。事、今日に至りましては最早尋常の手段ではこの問題の解決をなすことは出来ません。国民自ら手を下して力を以てするに非ざれば、この大問題の解決をなすことは出来ません。

諸君、由来天祐は我が国につきものであります。天は我が国をして何時かは今日の如き不徹底なる政治状態に置くことを許しません。果然、特権階級の代表者たる貴族院の一部は、突如として衆議院に於ける政友会の脱党者百有余名の者と結託し、相作応して友を売り、政党を売り、国民を売って、こゝに清浦内閣を作ったのであります。この清浦内閣の出現は実に天が与えたる国民的戦争を促す一大警鐘であり、標的であります。

諸君、我が国皆昨年九月一日の関東大震災によって恐怖と亢奮に陥りました。又昨年十二月十二日、虎ノ門の不祥事に会して極度に平静を破られました。更に本年一月三十一日、議会は未だ政府の意志を示さず、国民の意向を聞かざるに先立ち、かつて非ざる非常手段によって解散を命ぜられました。爾来政府は朝にありては宮中府中の別を乱り、野にありては言論機関の自由をすら奪い、甚だしきに至りては司法権を以て立法府を威圧せんとしております。

諸君、去る二十六日、我が国民敬慕の中心であらせられる摂政宮殿下に於かせられては、伊勢大廟の途に上がられたのであります。然るに政府は何事に怖れたのでありまするか、長き東海道の沿線は五歩に巡査、十歩に憲兵を配置し、水にも陸にも警戒の垣を作ったのであります。知らず、彼らは何事の勃発を怖れたのでありましょうか。諸君、万世一系の皇室に対し奉り、かくの如くせざれば、国民は終にその御旅行すら安全し奉る事が出来ないのでありましょうか。かくの如き政府の態度、これ明らかに民意に反するものであり、累を皇室に及ぼせるものでなくして何でありましょうか。政府は今や民意を蹂躙し、一大クーデターを以てその非違を遂げんと致しております。

諸君、政府は国状は平静なりと豪語して居ります。然しながら、その静なるは嵐の前の静かさであります。諸君、神聖なる天皇を戴ける我が国家の秩序は乱れんとして居ります。今にしてその進路に一大光明を与うるあらざれば、悔いを千歳に残す恐れがあります。今はその憂国の士の奮起すべき秋であります。

諸君、我が党の首領高橋君は国家の現状に対して深甚なる憂を懐き、敢然として栄爵を投げ捨てゝこの国難に直面せんことを誓いました。彼曰く「国家のために死力を尽くして戦わんとして居ります。恐らく私は戦死するであろう。諸君は私の屍を越えて邁往せよ」と申しております。

諸君、我々は事こゝに至りましてはただ諸君と共に苟も国法の許す範囲に於いて、あらゆる手段を尽くして、この政争標的たる清浦内閣の倒壊を計り、これが与党の殲滅を期し、以て今日の如き変態政治の出現を許さざる決心を固めなくてはならぬのであります。

私はこの意味に於いて、同志山口君のために諸君の貴重なる一票の投ぜられんことを祈ってお別れ申し上げます。

十三　貴革論メモ

註：文中、濱口内務大臣とあり。濱口内相は、第一次若槻内閣に一九二六（大正十五）年六月三日就任し、同年十二月臨時安達内相と代わり、翌一九二七（昭和二）年三月再び内相となる。内閣更迭は四月なれば、この草稿は一九二六（大正十五）年六月から十二月、一九二七（昭和二）年三月より四月上旬までに書かれたものと思われる。〔第一次若槻内閣：一九二六（大正十五）年一月三十日成立〕

（前文不明）

○国民によってのみ解決せらるゝとせば、国民の意志によって解決さるゝ様にならなければならぬ。即ち帝国議会が解決するのである。故に議会が解決し得るようになっているか否かが根本問題であります。

○貴族院の改革問題は、その必要日に月に加重し、特に今回の若槻内閣の出現によって一層急迫になったに拘わらず、徒らにその声の大なるのみにしてその実の伴わないのは、真にこの問題を理解するものが少ないためであり、我々の最も遺憾とせざるを得ないところである。

○貴族院令は明治二十二年制定以来三十余年、何らその根本に触れたる改正をしていない。衆議院が大なる改正を加え、特に今や普選をも実施せられたるに拘わらず独り貴族院のみ依然として旧態を維持するのは時代に進運に伴わず。

○これ国民の意に副わざるところの大なるものなれども、更に根本的に改革の理由が存在するのである。

即ち、現行貴族院制度によっては、真実の意味の立憲政治の運用は出来ない。否、現行制度は立憲政治の運用に障害を与える欠陥を、その組織制度自体に含んでいる。

○貴族院令なるものが、更に今日の時勢に適合しないというばかりでなく、立憲政治運用上大なる欠陥を有するものである。

○改革の必要は啻に法制上に於いてのみ成らず、政治的に急を要す。

○貴族院の制度組織に対して根本的の改革を加うべしとするものと、従来の組織制度を仮に存置して、その範囲内に於いて時勢の要求に応ずるだけの改革をなさんとするものとあり。

○研究会は貴族院に於いて絶対多数の勢力を占め、横暴を振っている。

○選挙母体なる慣例がある。即ち伯子爵に対して尚友会、男爵に対する協同会。

○多額納税議員廃止、公侯爵の世襲議員制の廃止、勅選議員の終身制廃止、有爵議員の互選規則の改正、特に連記を単記制度とする事は、姑息なれども有効。

○衆議院の選挙法の改正には貴族院の協賛を必要とするに、貴族院令のみは衆議院の協賛なくして貴族のみの議決を以てすることになり居れり。

○彼ら自身の自覚によって改革を思うが如き、百年河清を望むに等しきなり。

○今日の貴族院は立憲政治運用の上に許すべからざる障害である。而も彼ら自身その非を改める誠意なしとすれば、国民の手によりて、これを外部より促進せしむる必要がある。

等しく国民全体の双肩にかゝれる国家問題である。一般国民が参与すべき責任であり権利である。

○普通選挙の実施は、政治の現状に激動を及ぼし得る可能性を持っている。現状の打破は新政治への第一歩である。

○国民の基礎の上に国の政治を行う。即ち国民の選挙による衆議院を中心とする政党内閣政治の確立が立憲政治の帰結である。

○責任内閣制と両立しない。並び存し得ない。

○立憲制度布かれて三十余年を経るも政党発達せず、政治的中心が政党に移らず。

○議会政治の真意を知った今日の国民に、この大なる制度上の矛盾をそのまゝにさせておくことは出来ない。衆議院が普選の実行によって改革可能とせらるゝに、貴族院は制度上、全く国民と没交渉、国民の手の及ばざるところにあり。革正の声の起こるは当然である。

貴族院の改革は、二院制度の存置を是認し、その組織権限が民選議員の権能を阻むを得ず、即ち理性的に民衆的にあらしめたいという点にある。

○華族の中堅は子爵である。貴族院の中心は子爵議員である。子爵議員は研究会の主成分子である。研究会の横暴が貴族院を左右するは、これら主要の人物が七年の任期を三回以上重選され、二十一年以上、三十五年の任期を貴族院に座って居り、連記記名の選挙投票制度を利用して、各爵互選議員を制御操縦して行く結果である。

○この**連記記名投票制度ある以上、選挙管理者や選挙母体の幹部が各議員の死命を制したるは当然である。**これを無記名単記と改むるが如き事は、いわゆる互選議員選挙規則は普選の勅命であるから政府の決心で改正が出来る。

○貴族院改革を口にするものゝ間には、不合理にして有害無益なる多額議員の廃止を主張せざるものは殆んどなかった。而も現内閣はこれを拡張したのである。

〇**種々なる解決すべき題目がある。而も改革の本体であり本陣たる華族議員と勅選議員の問題である。**

〇人民の前にあって政治を行ういわゆる善政主義は民衆に自覚なき過渡時代には存在の理由がある。民衆の自覚せる今日は、須らく政治は国民の中から民意を代表して政治に参与する、即ち立憲的でならねばならぬ。

〇**貴族院の存在は、その行動が公明にして判断に私心なき事を前提としてのみ意義がある。然るに現在の如く、私の立場に立って政党的偏倚を以て少数特権階級の私欲を恣にするの兆を示して来た場合には、それは無用の域を脱して有害の長物である。憲政を阻礙するものである。**

〇少数党内閣の行くべき途は、そのなすべき主義方針を明にし、これに国民が同意するや否やを解散によりて決する他、取るべき方針はなき筈なり。

〇枝葉末節なる問題を他にして国民が思を廻らすのは、根本問題である。即ち立憲政治とは何か。

〇貴族院が衆議院と対抗して直接実際政治に関与する事は妥当ならず、と国民は決したのである。この国民の尊き意思を無視し蹂躙したるものが若槻内閣である。彼らは国民の否定したることを無視し再び貴族院に政治的勢力を付与し、憲政の大義を乱すものである。立憲政治の危機はこゝにある。

〇憲政会の百六〇はどうして出来たか。

〇政治に大なる勢力を持つ事。

〇然るに未だ舌根乾かざるに貴族院非難の中心である研究会と手を握り、公然と政局に立つという事は、余りに厚顔無恥と良心の麻痺せるに驚かざるを得ない。

〇国民を騙したのである。

〇政治の安定のために心ならずも彼らと結ばねばならぬという。自己の節操を捨てゝ安定せしむる必要何れにあるか。
○研究会の援助がなければ政策の実行は出来ない。
○研究会の肝煎りで政権を維持している。内閣改造を研究会に任した姿である。
○政党内閣とは政党員が大臣になる事ではない。これを支持する多数で議会を占めるという事だ。
○内務大臣として何らの理論も抱負もなき濱口。
○党勢拡張が目的である。
○明治三十年六、七月立憲初次の有爵、多額議員の改選をなす。有爵は大半重任、多額は殆んど全部新選、而してまだ政党の臭味を帯ぶるに至らず。
○明治三十一年、憲政党内閣即ち大隈内閣成立して基礎を政党に置き、院内六分の五の多数を占め、一致して政府を後援したり。然るに貴族院は、政党排撃の思想院内に充ち、政党内閣の我が国体に容れざるを論ずる者多く、漸く政府に対して一敵国となりたり。
○明治三十二年の暮、即ち第十四回帝国議会山縣内閣の時より漸く歯牙を顕わし、先ず区々たる宗教法案によりて政府と争い、後年駕げし易からざる勢を馴致したり。
○伊藤内閣第十五回帝国議会（明治三十三・三十四年）北清事件費の増税諸法案、衆議院の議決を経たるものを貴族院反対し、終にそこで大詔渙発して局面一変し、貴族院はこれを可決す。
○明治三十七年六月より七月、第三次の有爵多額の総選挙あり。多額は椅子その人を易えたるも、有爵は椅子前任者の累選を見たり。

十四　法制万能政治を排す

註：一九二五（大正十四）年三月二十三日の矢板町公正館に於ける演説。森が横田千之助氏の補欠選挙に栃木県より立候補した時の**演説草稿**。老婆心ながら、実際に会場に於いてこの演説を拝聴した聴衆は内容の幾分の一を理解し得たであろうかと懸念する。

我々は物価の低落、生活条件の安全を保証する事を望みます。然し我が国状を考察する時、かくの如き希望は果たして容易に期待し得る問題であるかどうかという事に多大の疑いを持たざるを得ないのであります。試みに我々日常生活に於いて衣食住の三点について考えまするに、先ず服料問題に於いて、我々が木綿を着、羅紗を着る必要がある間は、決して羅紗や綿花を産する国よりも安い着物を着る事は出来ないのであります。又食糧問題に於いても、我が国は年々六千万石の米を産しますが、主食物の米ですら五、六百万石の不足をみているのであって、特に驚くべきは副食物と申するよりは殆んど主食物となって居ります小麦粉の如き、その原料の八割はこれを米国その他より輸入するのであります。我が食糧問題の鍵を握れる我が農村経済の内で、外国品の脅威を感ぜざるものは僅かに生糸あるのみと極言するも敢えて過言に非ざる状態でありまして、我が国は年多額の食糧を米国、支那その他より輸入するのであります。他の大なる農産国に比して安き食物を安全に得る事は困難なる立場にあるのであります。

又住民の問題でありますが、この細長き山多き島国に、而も年々六、七十万人の人口増加を見つゝある我が国状に於いて、到底他の大国の如く住民の安全を確保する事が出来ないという事は明なる事であります。

これ移民問題の如く、他の文明国には見ることを得ざる我が国特有の問題が大なる外交問題となって居る所以であります。論じてこゝに至れば我が国民生活の安全は決して容易に保証されるものでなく、物価低落の如きは問題ではないのであります。こゝに国民的不安が伏在するのであります。

私は我が国の状態は、今や各種の点に於いて全く行き詰まりであると考えます。即ち政治問題に於いて、社会問題に於いて、教育、外交、経済、その他風俗習慣に於いてすら、矛盾撞着行き詰まり感ぜしめざるものは殆んどありません。これ**明治維新以来、国民生活と国状とを度外視して法制万能の政治を行い、放縦なる弱肉強食的経済勢力の横行を致し、誤れる保護万能の政策に恋々として自由にして開放的なる新方針を選ぶことを怠った結果であります**。今や我が国農村の状態は極端に行き詰まって居ります。

蓋し営利主義に合致せる商工業と、営利主義に合致せざる農業とは、到底相並んで競争する事は出来ません。農業は漸次立ち遅れとなり、時勢の進むに従い疲弊荒廃の実著しくなって来るものでありまして、**今に於いて極端なる営利主義を打破して利得よりも必要主義の政策を採用するに非ざれば、断じて農村は救済されないのであります**。**又商工業に致しましても全く行き詰まりであります**。近時、大阪、東京の大新聞を御覧になると、産業に関する広告は極めて少なきことが眼に付きます。広告の大半は書物でなければ薬である。芝居興業でなければ化粧品であります。消費に関するものゝみであって、生産に属するものは極めて少ないのであります。これ産業の衰徴を物語らずして何事を示すのでありましょう?

農村、都会も行き詰まりであります。**国家がこれらの内的国状の行き詰まりを解決するには、少なくともこれを外的事情によらなければなりません**。**即ち我が国の運命は外シベリア、支那、南洋を含む大なる輪郭の上に国家の存立、国民生活の安全を保証する必要があります**。

我々はシベリア人、支那人、朝鮮人に対しては、これに臨むに王道を以てし、我が国運の擁護の下に安んじて文化を共有せしむる必要があるのであります。然るに我々の中には、彼らに対するや、恰も仇敵の如きものがないでもありません。彼の大震災当時に於ける鮮人騒動の如き、そもそも何事を暗示するものでありましょうか。区々たる三千万人の鮮人にすら自由寛大であり得ざる国民が、如何にしてシベリア人、支那人、南洋人を悦服せしむる事が出来ましょうか。特に対支政策の如き、一日も速に確立して直ちにその実行に取り掛かる事は刻下の急務であります。**日本の国家経済は支那大陸に於ける豊富なる生産力と無限の消費力とを利用するに非ざれば、世界的にその存立を保全する事は出来ません。**支那の如き温帯に位置し、人類生活に最も適した大陸は、須らく人類全体のために開放利用さるべきものであるに拘わらず、支那人の多くは全く自然の道理を解せず、大勢に逆行して国を挙げて門戸を閉鎖しております。**支那人のこの閉鎖主義を打破して支那の門戸を解放する事は、世界に対する日本国民の義務であります。この目的を達するために私は支那の領土保全、門戸解放、機会均等を対支国是として熱心に且つ大胆に実行する事を主張いたします。**前半生の多くを支那に費やしたる私は、国家の興廃に係わる対支問題の解決のために微力を捧げんと欲するものであります。又教育に致しましても、国是と国民生活の実際に触れていないのであります。今の初等教育の如き、幾多の矛盾撞着を認めるのであります。就中、諸君は我が国文化の中心であります東京市内の教育の現状を何んと御覧でありますするか。

以上申し述べましたる通り、国状は全く行き詰まれるに拘わらず、国民の間にも政治家の間にも安心する政策が行われていないのであります。

最近行政整理の問題が枢密院の議に付せられたる時、博士穂積陳重君は「失業者即ち浪人の数多くなれば社会の秩序は乱れ国本は動揺するのであるが、今日の行政整理によって生ずる失業者五万人はこれを如何にするや」と極めて悲痛なる質問を試みました。世の状態が行き詰まれば、失業者の生ずるは当然の帰結であります。

政治、経済、社会状態の行き詰まりの結果、今や至る所に不平あり不満あり、世を挙げて騒然たる傾があります。国歩は極めて困難であります。**一歩誤れば革命に陥る恐れがあります。我々は即ちこの大勢を察して、この行き詰まれる国状が革命の如き悲惨事に至らざるに先立ち、これを政治的手段によって解決する必要ありと考えらるゝものであります。元来非常の時には非常なる手段が必要であります。**今日の如き非常なる場合には複雑煩瑣なる制度を以てこの行き詰まれる国状を打開する事は困難であります。

我々はこゝに政治制度の上に大なる改善を加えて、国民の意志、国民の希望が直ちに政治の上に現るゝようにしなければなりません。即ち**政治機関を単純に改革し、立憲政治の本能を十分に発揮せしむる必要があるのであります。**

元来、立憲政治なるものは時代の最も強大なる勢力を引き来ってこれを政治の実際に利導し、以てその能力を発揮せしむるにあるのであります。語を代えて申せば、国民の政治的勢力の新陳代謝の作用を流血の惨を観ることなく円滑に行わしむるにあるのであります。

十五　神戸埠頭所感

註：一九二五（大正十四）年八月十七日。恐らく神戸港から支那に渡る上海丸で観た光景であろう。森の慟哭が聞こえてくるではないか。

昨夜来京都は稀なる暴風雨に襲われる。余は午前六時半旅宿を出で停車場に向かう。雨は自動車を打ち、水は街路に溢れ、瓦飛び樹木折れ光景惨たり。幸に汽車は定時に来り発す。九時半神戸に着、直ちに汽船の上海丸に至る。港内波浪高く繋留せる木船も動揺やまざる有様なり。十一時船は予定の如く鎖を解けり。船発せんとする数刻前一群の男女青年団ラッパ太鼓を吹き鳴らして雨を衝いて波止場に乗り進み来るを見る。これ在神戸支那人の一団が排英運動のために英船より下船したる船員の一行を送（不明）する見送りのためなり。旗を見れば曰く「革強学校」、曰く「歓送海員帰国」、曰く「神戸国民党支部」。青年は悉くカーキ色ボーイスカウトの服、青女は白き帽子上衣、藍の下衣、男女共に傘を捨て風雨の中に佇立し、国歌にやあらん数次合唱を繰り返し、船上の人と共に交互に日本語にて「万歳」を叫び英気面に表る。船員の携えるものを見るに慰問袋「中華民国国民党神戸支部」とあり。宛として「凱旋の人を送る」の趣あり。余はこの摯実なる彼らの国民的運動の光景を見て感慨に堪えざりき。見よ。**こゝに支那の覚醒あり**。**亜細亜興隆の萌芽あり**。**我らはこの萌芽を擁護し、これと共に亜細亜民族の復活を企画せざるべからざる立場にあり**。然るに何事ぞ国民の多数は未だこの大なる使命に心を用いず。徒らに国内の小事のみ拘泥し、個人的唯物思想と欲求に没頭し、支那人すら対外的にこの犠牲的行動をなすに当たり、我らは狐の如く自己一家の計にもこれ足らざるはそもそも何事であるか。我らが分配内に争うの時、彼らは屹として外に向かって自立のために戦えり。内に争う我らの国状は殆んど独立国たる資格を欠き、外に自立のために争う得る彼らの国状は自給自足の国なり。悲しむべき母国の人々はこの一大事実に想到する責任あるべし。

十六　日本の発展策

註：一九二五（大正十四）年十月十七日、群馬館林武藤金吉氏の推薦**演説**。

立憲政治は義務と責任の政治である。国民が国状を理解し、理解したる国状に対して国民が個々の責任と義務を以て国家を負担する努力を制度上に現したるものが立憲政治であります。故に国状を知らざる国民、或いは国状を知る事を努めざる国民の間には、立憲政治は断じて発達する事は出来ません。

国状は今如何にありや？　国状は全く行き詰まりであります。社会問題に於いて、政治問題に於いて、教育、外交、財政、すべて行き詰まりであります。甚だしきに至っては風俗習慣に於いてすら矛盾撞着を発見するのであります。

国状は何故に行き詰まったのであるか？　畢竟事のこゝに至ったのは、我々の先輩が明治維新以来、国状と国民生活の実際を度外視して徒に欧州文明の皮相のみを輸入し、長く誤れる法制万能の政治を行い、放縦にして弱肉強食的であります営利主義の経済政策を実行した結果であります。

而して**内に行き詰まりたる国状は、これを外の事情によって展開する必要があるのであります**。**即ち北はシベリア、西は支那、南は南洋、この大なる輪郭の上に我が大日本帝国の存立を考え、国民生活の安全を保証しなくてはならないのであります**。

従ってこれらシベリア人、支那人、南洋人に向かって常に自由寛大であり、彼らに臨むに正道を以てし、彼らをして我が国威擁護の下に安んじて文化の共有を得せしむる裁量がなくてはなりません。然るに多数国民の間にはこの点に関する理解なく、どうともすれば彼らを仇敵の如く考えるものがあります。論より証拠、彼の大震災の時悲しむべき朝鮮人騒動は何故に勃発したのであるか、区々たる三千万人の朝鮮人、今は我が新領土の民である。彼らに対してすら自由寛大であり得ざりし我々が、どうして支那人、南洋人を悦服せしむることが出来ましょうか。**特に我が国の国家経済なるものは、対岸支那の豊富なる原料、無限の消費力を算定に入れねば成立しないのである。**然るに国民の中幾何の人がこの支那問題に注意を払っているでありましょうか。今や**日支両国の間には関税会議、関税自主権、治外法権撤廃、不平等条約の改定、何れも国運の消長に関する重大なる問題**が開かれんとして居ります。特に日本と米国と支那との間には無線電信問題なるものが持ち上がっております。御承知の如く日露戦争に勝ったのは通信機関を握って居った事が大なる原因の一つであります。もし支那に大なる無線電信の設備が出来、万一外国人に支配さるゝが如き事がありましては、我が国の軍事行動はその自由を失うのであります。我々はこの危険を防止するがために、原内閣の時に支那に於ける無線電信の占有に成功したのであります。然るにこの既得の権利が米国の横車によりて奪い去られんとして居ります。平常国民外交を称える我々がかゝる重大なる問題を、挙げてこれを外交事務官吏のなすところに一任して顧みないのは何故であるか。**要するに国民が国状に対して冷淡なる結果である。**

諸君、寛永の昔、徳川家光の鎖国令の実施がなかったら、今我が大和民族の発展は如何でありましょう。支那南洋はおろかインド、オーストラリア、アメリカまでも及んだに相違ありません。又明治維新の当時、依然として鎖国退嬰して居ったならば国運の現状は如何でありましたでしょう？　恐らくは今の朝鮮、支那の運命と同一でありましょう。

諸君、文明の進歩は個人の立場を擁護します。然しながら国際間に於いては弱肉強食であります。世界の大勢は内に民心を統一し、外に国民的膨張を期しております。

我が国は国状行き詰まって居ります。国状の行き詰まりは国運の行き詰まりではありません。国状の行き詰まりは政策の行き詰まりであります。政策を立て直せば国運は展開するのであります。行き詰まりたる徳川幕府政府は王政復古、開国進取の新政策の実行、而も革命なる非常手段によりて打開されました。行き詰まれる現下の国状の打開には、非常なる決心を以て懸らねばなりません。五、六十年来やり来たった**営利主義の経済を必要主義の経済とし、中央集権施設を地方分布的とし、画一主義の教育を国状に触れたるものとなし、内に行き詰まった国状を外に伸ばさなくてはなりません。**而もかくの如き政策は革命の如き非常手段によらず、政治的手段によりて実現する必要があります。政治的手段とは何ぞや、即ち議会政治の運用によりてその目的を達する事であります。而して我が国の議会制度の現状を以て、果たしてこの目的を達する事が出来ましょうか。これ諸君と共に大いに考慮しなくてはならない点であります。

思うに今の我が国の議会制度は国状の実際には適しません。議会制度の改善をなすにあらざれば、その能力を発揮する事は出来ません。(以下省略)

十七　国際関係と日本の立場

註:一九二五(大正十四)年十一月二十五日、盛岡市政友会支部大会に於ける**演説。**

諸君は御記憶でありましょう。日露戦争が終わり、世界を挙げて我が国の勝利を嘆称し、我々も又頗る得意となり、皇室の威勢これよりますます大なるべきを感じたのであります。然るにこの時、世界の言論界の権威でありますロンドン・タイムスは、極めて冷やかなる社説を発表しました。「我が同盟国たる日本帝国が、その維新以来長足の進歩をなしたることは事実である。然しその進歩も今日を最高潮と見ねばならぬ。その国民性と今日の日本人の心懸とを対照して考察するに、もし日本国民が小成に安じて、維新当時の国民の如き元気を持ち、努力経営しなければ、恐らくは日本は衰退に向かうであろう」と。当時この社説を見て我々は不快の念にかられたのであります。

爾来二十年、明治大帝は崩御遊ばされ、乃木将軍は自刃した。静かに国状の実際を観察すると、遺憾ながらタイムスの予言が的中しつゝあるのを感ずるのであります。

国家の現状は内政に外政に、社会的にも経済的にも思想的にも一種の不安と恐怖に満ちつゝある事を否定する事は出来ません。何が故に不安と恐怖が潜在するのであるか。思うにその原因は、こゝに毅然たる一定の国是がない結果である。国民はよるべき目標がなくただ現在に捉われ、個人としても、国家としても、その存立の状態が世運の進行と伴わない。こゝに不安があり、恐怖があるのである。

かつて五、六十年前、我が国は武力によりて政治が行われた。即ち武家政治である。然るに欧州文明の接触によりて、我が国の武力の頼むに足らざる事が分かり、国民は上下を挙げて長夜の眠りより醒め、即ち維新の大改革によりて範を欧米にとり、あらゆる事柄を根底より改めて富国強兵の実を挙げる事に努力しました。当時の日本国民の目標は実にこの点にあり、その目標に向かって国民は迷うところなく邁進したのであります。次いで支那が日本を冒さんとするや、支那が日本の国民的目標となり、国民はこの目標に向かって努力し準備し、終にこれを打ち破りました。又ロシアが南下して我が国を葬らんとするや、我が国はロシアを目標として努力し、上皇室は日常の経費を節約され、下官吏も国民も給料を或は金銀を提供して陸海軍の大拡張をなし、終にロシアの大軍を撃破したのであります。

当時国民の意気は頗る盛んでありました。もし支那に革命が起こったら、もし欧州に大戦が勃発したなら、我々はその機会を捉えて更に大なる飛躍を試むるであろうとは実に国民の声でありました。


然し諸君、慧眼なるタイムスが観察した如く、国民は早くも小成に甘んじたのであります。国民の目標はありました。然も国民はこの目標に向かって努力し、準備をなすことを怠ったのであります。支那には革命が起こりました。欧州には大戦争が起こりました。而して国民はこれら千歳一遇の大なる機会を捉えて果たして何事をなしたか。我々はただ手を空しゅうして流れに浮かんだに過ぎない。何ら自発的にこれらの機運に乗じて努力をしたところはありません。水が来れば物は浮かびます。欧州大戦争なる水のために我が日本は浮かびました。国富は増加し、国民生活は膨張し向上しました。而も水が引けば浮かんだものは元の位置に下がるのである。欧州戦争なる他力が消滅するや、折角増加したる富は年に月に少なくなり、向上し膨張したる国民生活は日に月に壊れて来ました。こゝに国民的不安恐怖が潜在するのであります。

然らばこの他に伸べき大事なる機会を利用せざりし我々は、内に於いて何事をなしたか。

元来経済に立脚せる欧州文明は、豊富なる原料と大なる販路を持つ国にあらざれば発達する事が出来ない。我が国は果たして何れに原料を求め、何れに販路を開拓するのであろうか。今日の世界にては大なる生産力、即ち生産能力を持ったものでなければその地位を守る事は出来ません。生産能力は産業の発達に待たなければなりません。**産業は基礎的国家設備がなければ発達するものではありません。ドイツやフランスが大戦争で疲弊したと言われて居るに拘わらず、その産業の直ちに回復せんとしているのは何であるか。これ公共的基礎的設備と国民の産業に対する理解と習慣がある結果である。**而して我が国の基礎的国家事業は果たして如何であるか。全く手が付いて居らないのである。その交通は如何に？　道路、鉄道、水陸連絡、倉庫、運送の設備は如何であるか。水道下水道などの衛生設備、動力と資金の供給の如き、見来ればすべて不完全にして非科学的である。特に教育、思想、習慣も実際に適せず、無駄多く、産業の発達と背駆する事柄のみである。

かくの如き状態でどうして生産力が発達するのでありましょうか？　かくの如き国状なるに拘わらず、政府は何をなして居るか。鉄道は欧米の何分の一にしか達せざるに、早くも改主建従なぞを唱えて、その発達を打ち切って居る。電信電話の需要は激増するのみだがこれを造らない。資金の需要は増大するに拘わらず、非募債主義を標榜して供給の徒を断っている。一切を挙げてその消極政策の犠牲として顧みない。文部大臣が勤倹貯蓄の風を奨励するかと思えば、鉄道大臣は物見遊山を宣伝している。内務大臣が社会政策と唱え、物価の引き下げを唱えるに、大蔵大臣は無警告に煙草の値上げをなして居る。官吏を見よ、徒に法律手続きに籍口して事務を停滞せしむる。靴を履き、洋服を着る時、鉄砲を打つ事を知らざりし農村の子弟を僅かに二、三年の間教育して世界に誇るに足るべき節制あり実力ある兵士が出来るのに、今の資本家は産業の不振を労働者の罪に帰せんとしている。要するに百時不徹底である。我々はこれを根底より改革する必要があるのである。これ即ち**我が党が新たに産業立国を主張し、これを実現する如実の手段として六大政策を樹立して信任を天下に問わんとする理由である。**

諸君、欧州戦争が終わって世界の形勢は一変しました。国際間に大なる渦巻きが起こりました。自由平等、民族自決、差別待遇撤廃の叫びとなり、国際的にすべての事を解決する形勢となりました。然るに我が国の国民の心はこの国際の関係については没交渉であり、冷淡であり、不慣れでありました。この冷淡無頓着なる国民を相手としてこの国際戦争に乗り出すためには、時の総理大臣原敬君は非常なる決心の下にこの国際戦争の陣頭に上皇室を奉る事を企てたのであります。即ち彼は皇太子殿下の御外遊を勧め奉ったのであります。当時我が国にはタイムスの思想が輸入され、上下を挙げて思想問題、社会問題に神経を尖らせていた時であります。この英断に対して、上皇室の方より元老山縣元帥を始め民間有志の間に反対を唱える者が頗る多く、著しきは身を東京―横浜間の線路の上に横たえてその御出発を阻止し奉らんと企てたものがある有様で、原敬君は奸臣賊子の如き罵声をすら加えられたのであります。然れども原君の意志は鋼鉄の如くであった。彼は断乎として所信を決行したのであります。爾来半年、殿下外遊を終えさせられ横浜へ御帰着になった光景は如何であったか。当時都下の大新聞は活動写真を撮影しました。私もこれを拝観して実に感慨深いものがありました。確か軍艦「鹿島」の甲板なりしと記憶致します。殿下を中心として皇室の方々、国務大臣、陸海軍の元帥大将、特に東郷元帥の如きかの童顔に笑を含んで、一同杯を挙げて殿下の御安着を祝して居るのであります。

この時我が総理大臣原敬君は如何にして居ったか、彼は殿下の側に立ち、顔を殿下より背け、ハンカチを出してさめざめと泣いて居るのであります。

諸君、万人喜んで杯を挙げつゝある時、独り彼は何故に泣くのであるか。彼の涙はかつて樽俎の間には流れなかった。然れども彼は実に神に祈り、仏に誓い、身を以て殿下の御安全を保証し奉ったのであります。今やその生命をかけての一大事が見事に完了して殿下はめでたく御帰国に相成ったのである。国民に対し、陛下に対し、彼の大なる責任は果たされたのである。これ重き責任の解除はやがて彼にとりての感謝の涙となったのである。

諸君、誰がこの死を以てその所信を天下国民のために断行したる政治家を以て、理想なき政治家と評するものがありましょうか？

かくて皇室が第一線に立たれたる結果、国民の国際戦争に対する見識は樹立されたのであります。

即ち、或は欧州に或は米国に各種の国際会議が開催さるゝに拘わらず、国民は能くこれに処して大過なきを得つゝあるのであります。而して諸君国際会議が欧州に米国に開かれたる時代は、事多く万国共通の事柄であります。今や一衣帯水の支那に於いて、我が国運に重大なる関係を有する国際会議が開かれて居るのであります。

知らず、国民はこの会議に対して如何なる用意があるか？　支那と列国の間に取り扱われつゝある問題は何であるか？　関税自主権の要求、治外法権の撤去、不平等条約の撤廃、或は日支米間の無線電信の問題であります。その中何れの一つを捉えても悉く我が国運の消長に関するものであります。私はそのすべてを説明する時間は持ちません。こゝに無線電信の問題を申し上げて見ますれば、諸君は日常ラジオを御聞きになる時、時に空中電気の障害によって聞こえなくなる事を御経験でありましょう。かつて支那に革命のあった時に我が国は無線電信によって支那との無線通信を図りました。その時如何なる考えがありましたか、米国は強大なる戦闘艦を揚子江の中流に停泊させ、我が国が通信を開始するや強力なる電波を空中に送って通信を妨害したことがあるのであります。

諸君、日露戦争（以下欠）

十八　外交とは何ぞや

註：一九二七（昭和二）年十一月頃、外務政務次官時代の稿。

一、**外交は国際間の事務を事務的に処理する事である。また国家生活、政治生活をなすもの丶固有の実力を延長させ、互いに交叉さす事柄である。**

一、**外交は国際戦争である。国力のすべてを尽くし、国力のすべてが結果に現れる。故に平和なる戦いが外交であり、平和でない外交が戦争である。従って外交の基礎は国のあらゆる意味、広き意味の力である。別に戦時と選ぶところがない。**

一、正義人道は旗指物、成敗は力如何による。欧州戦争は力の数字的結果なり。学者科学者の説を裏切れり。

一、欧州の平和は戦前三百八十万の予備軍が今や五百万となり、この武力の数字の上に立てり。

一、**フランクリン・ルーズベルトは、かつて「武力の後援のない政治は何ら役に立たない。寧ろ実際生活をなすものには蛇足である」と言えり。欧戦後の講和会議で、ジョルジュ・バンジャマン・クレマンソー［フランスの政治家］は小国の雄弁家を一激するに「君らは正義人道を唱えてこの会議をリードせんとするが、大立物たる五大国は海に多数の軍艦を指揮し、陸に千数百万の軍隊を支配して、この戦局を結したものであることを度外視することは頗る迷惑である」の一語を以てしたり。**

イタリアもロシアも一国一党、而も武力によりて統一されつ丶あり。

十九　支那の国民性

註：外務省の用箋に毛筆にてノートしてある。外務政務次官当時の稿。

一、支那は一つの世界である。国として存在するが国民を見れば国ではない。この世界の大部分を占め、支那人の幹部として経済力も文化も最も進んだ者は漢人種である。**漢人の性質を論ずるは支那のいわゆる国民性を論ずる事になる。**

一、この漢人に自ら治め得る能力ありや否やは大なる疑問である。彼らの歴史は明白なる解答を与えていない。

一、**漢人は一世界に住む人民として他に統治されたる経綸あるも、一国民として自ら統治したる経験がない。**

一、**支那は自ら治むる国の国民たる味を知らない。国の価値を知らない。理知に於いては国としての生活に被治者としての国民と自ら治むる国民とは同一に見る事は出来ない。**

一、**生活の実際の中に泳いでいない。**

一、他に統治されたる漢人は勢い極端なる個人主義である。

一、彼らは日清戦争を李鴻章の戦争と思っている。

（広西号―広東）

一、支那には時毎に外力が働く。

一、長髪族―洪秀全

英人、英仏、三回開戦

十六年

愛国革命家

一、今の国民党―露

一、支那問題の解決は日米国論が無頓着で成り行きに任せて居るより他に策なし、とする風は何時まで続くか。日清戦争の時もこんなであった。

長崎事件、鎮撫する他策なかりき。

一、列国も無策から隠忍自重と見られても仕方がない。

一、列国の態度が共同出来ず、支那人が無意味なる主権論を振り回し、外人を軽侮し、横暴を重ねる時、日本は何時まで隠忍を続けることが出来るか。無事に両者の間が進むとは考えられぬ。

二十　山東出兵の必要性

註：一九二八（昭和三）年頃、大阪に於ける**講演草稿**。場所不明。

森は、政府が山東出兵の政策を発表することが出来なければ、政友会の党議として、出兵、現地保護の要求をするべしとし、「もし、田中が肯かなければ、総裁を引退させる」と、強引に朝議を決定させたのである。

かく多数の有力なる市民多数の前に愚見を開陳する機会を得ました事を欣幸と致します。

今や我々は、国家の運命を考えると同時に国民生活の現状に思いを致すべき場合に逢着致しております。

我々の生活の現状は果たして満足し、安心すべきものであるか、満足が出来ない、安心が出来ないとすれば、その原因は何であるか、これを救うの途は何れにあるのか、を考えなくてはならないのであります。これに断案を下し、これが方法を考え出して国民に提供するのが立憲治下に於ける政党と政治家の任務であり、この政治家の提供せるものを能く噛みしめて是非の判断をなして、これが実現の力を与えるものが諸君一般国民の立場でなくてはなりません。この国民の判断が盲目的であり、雷同的であり、感情的である時に、迎合主義、扇動主義の政治家政党が跋扈して不利に導くのである。この判断が妥当であり、堅実である時に、国家の基礎的施設が冷静に作られ、運用されて国運を有利に導くのであります。

我が日本の経済的中枢地帯を守れる大阪市民諸君、諸君は諸君の眼前に展開されたる幾多の政党と政治家の言論とその責任と実行力に対し、今や如何なる判断力を働かせんとして居らるゝのであるか、私は他を言わんとする前に先ず我々の立場を諸君に訴えんとして居るのであります。

諸君、私は信じるのであります。我が国の運命を支配し**国民生活を安全にする途は、一つに我が国民をして消費経済に徹底せる訓練を与えると同時に、内に生産能力を極度に発育活躍せしむるの途あるのみである**と信ずるのであります。而して消費経済に対する観察はこれを他日に譲ると致しまして、生産能力の方面について考えまするに、**生産能力は我が国の現状に於いては内に各種の基礎的施設の完成を急ぐと同時に、外はこの多大なる生産能力の対照である大なる購買力消費力を開拓する意味に於いて、対岸支那に対する我が国の根本政策を確立するにあると思うのであります。**これ我が党が内にありましては積極的に港湾を修築して水陸の連絡を便にし、交通、通信、機関に重きを置いて組織的活動に裨益し、いわゆる経済的基礎施設の完成に努力し、外は対支政策を確立して支那大陸に臨んで居る所以であります。

我々は支那人の叫ぶが如く支那の領土を侵略せん事を考えるものではありません。我々の期するところは支那の領土保全であり、平和の確保、秩序の維持であり、その門戸の開放であります。而も我々はその門戸を解放して、我が国独り独占せんとするものではない。機会均等主義を以て、世界のすべての人と共にその天の恵みに浴せんとするのである。我々はこの根本方針を以て支那に対し堂々として主張すべきを主張して、求むべきを求めて居るのである。この主張に立脚して我々は懸案の解決を策し、この立場によって南北の政状に直面して居るのである。

然るにこの我が公明正大なる態度を殊更に曲解し、混沌たる政状を背景として、我に対立せんとして居るものが支那の今の政治家の大部分である。

日支間の関係が暗雲低迷して自他共に迷惑を感じ、日支関係の行き詰まりを連想しむるものあるは実にこれが故である。

而も誤れる我が在野政党の一部、例えば民政党の諸君の如き、この事理を直視する事をなさずして徒らに攻めんがために手段を選ばざる態度を持して、今の日支関係の判然たらざるの責任、懸って現政府にあるかの如き言論をなして憚らざる有様である。

彼らは「支那の統一を困難ならしめて和平を妨ぐるものは現内閣である。山東出兵したるは間違いである。済南事件の解決に至らざるは現内閣の責である。排日、排日貨は一に現内閣の責任である。日支関係打開されず、日支親善の期待されざるも又、現内閣の責任である」と唱え、一にも二にもすべてその責任を現内閣に帰し、而もその言論が我が国を害し、支那の政治家を誤らしめつゝある事を顧みないのである。

諸君彼ら民政党は、昨年初夏の支那の二百万に上る南北両軍が京津地方に対立して一大修羅場を演出し、それの衝突の結果、如何なる惨事を支那の平和の上に秩序維持の上に及ぼすべきか、国民政府の前途未だ計り知るべからざるものがあった時、我が田中内閣が威力ある覚書の交付をなしたるがために幸に刃に血を塗らず平和の間に政権の授受をなし得たることを忘れているのである。この一事、如何に現内閣が支那の統一に有効にして且つ誠意ある努力を加えつゝあるかを物語って余りあるのである。而も彼らは、彼らがかつて四ヵ年間政権を握って居った時分、即ち**幣原外交の時、共産党の活躍進出を許して、それが満洲に於ける郭松齢の反乱となり、長江一帯の大動乱となって終に我が居留民が日露戦争後築き挙げた根拠を捨てゝ一時内地に引き揚げを余儀なくさるゝに至った事実を如何にせんとするのであるか。**支那の統一を阻害し、その秩序を助長せしめ、迷惑を我が国民に与えたるは、寧ろ誤れる彼ら幣原外交の負うべき責任であって、彼らは到底現内閣の対支政策を国民の前に批判せる資格を持たないのであります。

山東に出兵の已むなきに至れる原因は、南京事件を発せしめて、無意味なる無抵抗主義を以て支那の国民を徒らに驕らしめたる余勢の結果、危険に陥れる我が居留民の生命、財産を擁護せんためになしたる現内閣当然の責任である。南京事件に於いて国威を失墜したる彼ら民政党諸君の客喙すべき限りではないのである。また排日排日貨と日支の関係の親善ならざる原因を以て一つに現内閣に帰せんとするに至っては、その心事の陋劣なる、諸君と供に唾棄しなくてはならない。

諸君、我々も又、日支の関係が如何なる場合に於いても親善なるべきを願う点に於いては人後に落ちない。然しながら、**我々は親善ならんがために親善を願うものではない。日支間を打開せんがために打開を必要とするのではない。条約問題、南京事件その他の懸案解決も、解決そのものゝために解決を欲するものではない。如何なる犠牲も顧みず、ただ無抵抗主義、迎合主義を以て彼らの欲するまゝに屈従する態度をとれば、民政党のいうが如く、親善となり、打開され、すべての問題が片付くかもしれない。昨年十二月、我が国言**

論界の権威朝日新聞は、これらの論者を揶揄して「日本人に聞かずして支那人に聞き、支那人の都合のよさを唱えれば、如何なる行き詰まりも打開され忽ちに親善となるであろう。それでは親善にはなるであろう。それでは親善になるだろうが、我が日本は迷惑するのである」という意味の論評を下したことがある。誠にその通りである。私は率直に断言する。我が日本の政府は、元より如何なるものも日支親善を欲し、両国関係の打開さるゝ事を好まざる者は一人もない。而も親善ならず打開されざるは、日支両国の関係を悪化せしむるものは日支両国間の事情がしからしむるに非ずして、一つに支那の政治家の上にあるのである。**支那の政治家が我が日本に対して取って居る態度そのものがすべての行き詰まりの原因であり、不親善の原因である。**

彼ら国民党の党是として内外に強く訴え、且つ実行を国民に強いつゝあるスローガンは何であるか。曰く、帝国主義打倒、資本主義打倒、国権回復である。而も彼らは極めて大胆に露骨に「帝国主義、資本主義の権化は日本である。支那の権利を冒して居るものは日本である。日本を懲らし、かつて与えたものを日本から取り返す事が今の我らの務である」と主張し、この主張の下に恰もロシアの第三インターナショナルがなしたるそのまゝの如き態度を以て国際信義を無視し、歴史と法理を蹂躙し、その先ず自ら尽くすべきを尽くさずして得手勝手なる主張をなして他の屈伏を強いつゝあるのである。かくの如くにして如何にして親善が望まれるか、排日、排日貨の如き彼ら国民党並びに政府関係者がその裏面に於いてこれを指導しつゝあるのである。

彼らは口に親善を唱え誠意を主張しながら、裏面に排日運動を使嗾して居るのである。

彼らがこの種の態度観念を改めざる限り、各種の懸案が仮に曲りなりに片付いても、日支は決して親善とならないのである。彼らは国民党中央党部が中心となって各地の機関を操縦指揮して巧妙なる組織と統制の下に、日本品の封鎖、没収をなし、日本人と関係のある支那人を脅迫し、甚だしきに至っては愛国運動の名の下に強奪を行い、私腹を肥やすことをも黙認し、公許の匪賊白昼横行せる現状も認められる。支那の政治家は、政府の是認せる団体により不法に迫害を被れるこれらの事実に対して当然なるかの如き顔をして居る。かくの如きは通商制限経済断交の交戦国間の如き有様である。かくして我が国民の経済活動は、今や相当の打撃を受け来って居る。

我々は問題の解決、日支親善の急ならんがためにこの点を看過することは出来ない。今や我々は何時までこれを忍び得るかが問題である。

我々は彼ら支那の政治家がその目的の貫徹を図るに当たり、徒らに外国に対する要求のみに急なる如き事なく、常に現実に即して（不明）を追い（不明）に従いてその国際関係の整調を期すべきであると考える。

然らずして今日の如き態度を持続するに於いては、我らはその不幸なる関係の招来を避け得べしと信ずるものではない。**現内閣は、何時までも百般の不法不当なる行為により在支日本人の経済的活動を撲滅さるゝ事を黙視するものでない。我らは適当にして有効なる方策を採るの決心と覚悟があるのである。**

近時欧米では、人間の健康を維持する目的のために、カイロプラスチック即ち脊髄調整法なるものが流行って居る。人間の健康を維持する諸機能の中枢であり、基礎的作用をなすものは脊髄である。この基礎である脊髄を正しく運行せしむる時は人間の天寿を全うし得るものであるというのでありまして、近年日本にも輸入されて各処に行われんとして居るのでありますが、要するに人間の健康を考える場合に尤も大事な点は基礎をなす処の機関の働きであると申すことになるのであります。基礎的機関、基礎的事業、基礎的施設の必要であり、これが完全でなければ何事も発展し向上するものでない事は、独り人間の健康ばかりではありません。国家の運命を考え社会の実情を察し、一国の経済を究めましても、要するにその基礎となるべき条件が最も肝心であります。

日本が維新以来長足の進歩をなして世界の強大国となったのも、決して一朝にしてこの域に達したのではない。こゝに二千数百年来の強き文化が国民性の基礎となって居るからである。而もこの文化は万世一系の皇室が中心となり基礎となって初めて出来上がったのである。

我が国の今日の国家経済力の大なるについても、そこに幾多の基礎的事業があるから大となって居るのであります。もし基礎的事業がなかったならば、到底大なる経済力を維持することは出来ないのであります。而してこの基礎的事業でさえ滅びなければ、例え年により機に触れて国家経済の不利不便の事情が生じて一時困難に陥る事があっても、直ちにこれを回復する事が出来るのであります。

経済学者が、もし去る大正十二年の関東の大震災が大阪地方に起こったとしたならば実に国家の経済力を減殺する重大事件であったろう、と言って居るのも、要するに、日本の国家経済の中枢である工業の基礎的事業は関東地方に非ずして大阪地方に存在して居る。関東震災が国家の富を破壊したる事、百二、三十億と言われ、この大地震によって富は破壊されたが、我が経済的基礎事業は関東に非ずして大阪地方にあったゝめ、我が国はこの大不幸によって失われたる富を大阪地方に存在する基礎的工業力の活動によって、世界の人が期待した以上に速やかに回復する事が出来たのであります。この一例を見ても如何に基礎的事業が大事であるかが判ります。

二十一　対支外交の現状を論じて満蒙問題に及ぶ

註：一九三一（昭和六）年九月九日、名古屋市公会堂に於いて「新愛知」新聞社主催演説会**講演**。
満洲事変は九日後の九月十八日に勃発した。

九月九日午後六時より名古屋市公会堂に開かれた本社主催「**満蒙問題**」大講演会に於いて、政友会総務森恪氏は前後一時間半に亘り憂国の大熱弁を奮い、八千の聴衆に多大の感銘を与えたが、こゝにその講演の全文（速記）を掲げて普く読者に紹介する。（新愛知新聞記事）

（一）日支の経済関係

私は少し咽頭を痛めておりますが故に、かく多数の諸君に果たして徹底致す事が出来るや否やを疑うものでありますするが、聞きにくい点がありましょうとも事情御賢察の上で暫く御聞き取りあらん事を御願い致します。

私共が今回党議（政友会の）に従って満洲、朝鮮の視察旅行を致しました動機は、南満洲鉄道の終点であります長春の西、万宝山地方に於いて我が白衣の同胞二百十名の者が支那官憲と支那民衆とのために不当なる圧迫を受け駆逐されたという報道が風の如くに朝鮮全体に伝わりまするや、あの広い朝鮮の津々浦々までこの事件が徹底を致して、期せずして二千万の朝鮮人は奮起し、或は京城に、或は仁川に、甚だしきは平壌に僅か数時間の中に百数十名の支那人を殺したという悲惨なる事件が起こったことにあります。（拍手）

この事件に刺激されて、満蒙問題或は外交問題について比較的無関心な態度を取ってきた我が日本内地国民は、俄然として外交問題に注意を払う様に相成ったのである。（拍手）

即ちこの経済都市であります名古屋市に於いて、満蒙問題について所信を聞きとられんがために、この暑さにも拘わらずかく未曾有の大衆の寄せられたという事は果たして何事を物語るか。数ヵ月前であったならば、直接目の前のパンの問題、生活の問題にあらずんば聴衆は耳を傾けなかった。その聴衆が外交の問題にかく熱中し来ったという事は、これ我が日本帝国基礎の上に万民斉しくいうべからざる憂慮を持って居る証拠であります。（拍手）

諸君、これは我々国民が真面目に考えてなくてはならないところの重大問題であります。何となれば内地七千万国民のパンの問題は極めて単純である。労働争議は極めて単純でありますけれども、かの英国労働党内閣の現状は何を物語るか。我々七千万人が自ら消費し、使うところの力によって、七千万人が作り出すところの生産力を支配する事は出来ないではないか。**内地七千万人の天賦の力によって生産するその力を海外にまで普及するにあらざらば、我が日本の存立を図る事は出来ないのである。**（拍手）

対岸支那大陸、北はシベリア、南は南洋とこの大なる輪郭の上に我が大日本帝国の存在を考える事が、今日国民の必須の事である。何故我々がこの支那問題、特にその中心をなしております満蒙問題に重きを置くかと申しますというと、よってくるところの真意は畢竟この点にある。対岸支那大陸には四億の民が住まっている。この四億の人間がもし一年一人当たり十二円づつ現在よりも余計物を買い、消費するという場合を考えて見たならば、それが一年四十八億円の新たなる大なる購買力と相成るのである。

我が名古屋市の大工場は内地人七千万の購買力のみを以て立って居るか。そうではない。海外に於けるこの大なる購買力を背景としてこの名古屋市民は生きているのである。（拍手）四十億、五十億のこの新たなる購買力は我が帝国の存在をはかるところの重大なる要素である。四十八億即ち支那人一人当たり一年十二円使うという事を諸君の頭によって判断されたならば、極めて易々たる問題である。即ち一年十二円は月にすれば一円、日にすれば三銭三厘数毛に過ぎない。今日諸君の銭勘定に於いて、三銭数厘の現金は敷島（註：戦費調達のために新しく作られた煙草）四本乃至五本を以て消えていくという現状である。然らば今日の支那人が一日一人当たり敷島三、四本余計使って呉れたならば即ちこれが四十億、五十億の大なる購買力となって我が大日本帝国の生産機能を振わすものであるということは、三歳の児童も回答が出来る程明白なる事である。然らば人間の性癖と致しまして、朝から晩まで喧嘩をし、心配いたして居っては、物を使おうという考えは起こらない。平和で秩序の維持せられて居る時には、どれ煙草でも一服のんでみようという気持ちが起きるのである。今支那大陸を見るに、過去二十年の間、内乱に次ぐ内乱を重ねておりまする現状に於いて、どうして支那人が物を買おうという心理が出て来るでありましょう。これが直接間接に作用いたしまして我が現在の産業界、経済界、国民生活のすべてに脅威を感ぜしめておるのであります。

（二）万宝山事件とは何ぞ

この意味に於いて、支那問題は即ち我々のパンの問題であるという真剣なる落ち着いたる理解を、今日内地国民は持つ必要があるのであります。然も諸君、今この大なる支那、特に日本の生命線ともいうべきこの満蒙地方がどういう事態に陥りそれが如何に展開して居るかという事を、我々は考えるべき重大なる責任を持って居るのであります。

朝鮮人が突如として夜の十一時頃から払暁三、四時頃までの間に、平壌という小さな町の真中で百数十名の支那人を棍棒で撲殺したというが如き悲惨なる事件は、大いなる理由をなくして生まれて来ないのであります。この理由はいずれより来ったか、この悲惨事が如何なる影響を東洋平和の上に及ぼすものであるかという事は、只に政治家のみの問題ではない。国民全体が沈痛なる注意を払うべき責任の下に置かれて居るのであります。

私はこの平壌の問題について言うべき多くの材料を持って居る。諸君、我が帝国は好むと好まざるに拘わらず、今や民政党の支持する外務大臣によって、帝国を代表して支那との間に本件について交渉進行中である。我々野党の立場と致して政権争奪の目的に用うるならば、絶好の材料でありますけれども、政権争奪のためには手段を選ばないという、かつて民政党が張作霖爆死事件に執ったような態度は断じて我々は取らざるところである。（拍手）我々は国家のために、朝鮮人内地人我々全体のために、敢えて本件を国民の前に展開する機会は自ら天が与えるものと存じます故に、私は諸君の寛大なるところの同情の下にこの平壌問題について今言及致す事は、この程度に於いて御許しを願って置きたいのであります。

然らば**万宝山事件**とはなんであったかと申しますと、万宝山という地方は、満鉄の終点である長春から日本の里数で僅かに七里弱の隔たりをもっている西の方の丘に過ぎないのであります。この方面に向かって朝鮮人数百名の者が支那の荒蕪地を開拓致すために伊通河という河から二里余りも水路を開墾して水を通らせ、稲苗の植え付けも終わってこれより秋の収穫を楽しもうという時に、五百数十名の暴民が軍警の力を借りて二百数十名の警官軍隊と共にこの無辜の朝鮮人に圧迫を加え、これを追い出そうと致したところの事件であります。

幸にしてこの地方は、我が満鉄の付属地でありまする長春近くでありましたが故に長春領事館の人々はいわゆる現地保護をなし得る地帯であるという鑑定の下に、直ちに警察官が出動してこれらの支那官憲と対抗し実力を以てこれら朝鮮人同胞を擁護いたしましたから、支那軍憲は遂に我が領事館の決心に辟易して退いた。かくして現地保護の目的は一応達せられたのでありますが、事件は依然と外交交渉となって、我が国と支那政府の間に目下進行中であるのであります。只諸君我々が記憶してなくてはならないのは、**この事件は外交交渉として残っているが、残らないのは同胞朝鮮人が粒々辛苦の結果たる耕地もこれがために水泡に帰しているという事である**。朝鮮人のため諸君と共に記憶いたしてやらなくてはなりませぬ。現内閣が何事も交渉、何事も掛け合いにその日を過ごしている間に、哀れなる国民の大多数は飢え死にしつゝあるという事をハッキリ認識しなくてはならない。（拍手）

而も万宝山事件という如きは、全体的排日排鮮状況から大観すれば極めて小さな問題であって、**これに数倍するところの幾多の朝鮮人圧迫日本人圧迫の事件が今満洲に於いて至る所に現れている**。恰も諸君が内地で日々の新聞を御覧になって、あそこにも強盗が現れた、こゝにも盗賊が現れたとお感じになるように、満洲至る所に於いてかくの如き圧迫、虐殺が頻々と行われているという事を知らなくてはなりません。私共が吉林の停留場に参りました時に、一隊六十人ばかりの朝鮮人が支那の軍隊のために追い立てられて、吉林の停留場から吉林の監獄に送られて行く現場にぶつかったのであります。その状態は諸君の殆んど想像出来ないほど悲惨である。憐れむべき朝鮮人は両足に鉄の枷を嵌められ、その足の間に平ったい鉄の札がついて居り、歩けばガランガラン音がする。恰も動物園の狼か熊の歩く時そっくりのような音がする。その悲惨なる鉄の足枷を嵌められた六十余名の朝鮮人は蒼白な顔をして、或る者は頭に傷つき、或る者は手足に傷ついて、これが支那のロシア式馬車に一台三、四人づつ乗せられて、二人若しくは三人の支那の軍隊が実弾を込め、剣をつけた銃を持って、恰も牛馬を追い立てる如く歩け坐れと言って追い立てられている現場を我々は目撃した。諸君はどうしてかくの如き悲惨なる状態が今の世に行われているという事を想像できますか。朝鮮に於いて僅か百十数名の支那人が虐殺されたといって血を沸かしているが、満洲至る所に於いて数十名、数百名の朝鮮人が虐殺されている事実を我々は記憶しなくてはならんのであります。

(三) 満洲に於ける邦人

満洲至る所に於いて我々の同胞は今如何なる状態に置かれて居るか、一口に申せば悉く圧迫であります。悉く排斥であります。その結果は、満洲より駆逐されずんばその圧力に堪えない、という如き現状に置かれて居るのであります。**日本人の商売は中止に等しい状態である**。恰も今の安達内務大臣が選挙に当たってある反対党員の門前に刑事を張り込ませているように、日本人商店の門前に刑事が、而も制服を来た巡警が張り込んでこの店から品物を買って行く支那人があるというと直ちに後より追いかけて行って、これに税金をかけることによって日貨排斥の間接射撃をやる。無理難題を言い、遂に聞かなければ牢屋にぶち込むが如き圧政暴挙をやっているという事が、満洲の中心奉天に於いてすら日々目撃する事実である。また満洲の日本人は、過去二十年間営々これを天地と致してその業を励み、その産を作り上げて来た人々であるが、それらの人々は今日この頃夜になったらば町を一人歩きする事が出来ないという様な恐怖心に蔽われているのである。頑是なき第二国民、日本の小学校の子供は、支那人の顔を見れば一人で学校に行くことを嫌がるという事が満洲に於ける現状であるのであります。その他**大なる問題に至りますというと、或は満鉄の事業、これが支那の条約無視による計画的妨害によって、二つの二大幹線たる打通線、瀋海線が満鉄を挟撃し、その営業をして遂に立ち得べからずまでに圧迫致しているのである。**

大満鉄にして既に然り、その他の銀行商事会社、或は東洋拓殖会社、朝鮮銀行の事業などに至るまで悉く圧迫を加えられ、夕に衣を奪われ、朝に手をもがれるという様な状態の下に、続々その権益が剥奪せられているのであります。

私はこの多数の而も暑さの中にすし詰めになって居られる諸君の御辛抱に対して、その一々の細かい説明を差し控えますが、要するに**かくの如き状態の下に満洲に於けるところの同胞は、今や住むにも住まれず、仕事をしようにもすることが出来ないという状態に置かれて居るのであります。**

諸君、満蒙が我が大日本帝国の特殊地帯である事は三歳の児童もこれを認める事実である。特殊地帯とは、我が帝国の人民が自由に居住し、自由に営業が出来る所の意味である。ところが幣原外務大臣の下に、今やその特殊地帯は逆に、大日本帝国人民の安じて住居し、業をなすことの出来ない悲しむべき特殊地帯に変化致して居るのであります。（拍手）かようなる変態作用は如何なる理由によって生まれ来ったのであるか、これまた我々国民が真面目に研究致さなくてはならない重大事件でございます。

私はこの問題につきまして、**すべて三つの問題がこゝに存在している**という事を確信します。

第一は、二十年前即ち日露戦争後に於ける満蒙と現在の満蒙とは、居住するところの支那人自体の経済的実力に大なる変化をもたらしてきたということが、将にこゝに至ったる第一の理由であります。第二は支那の軍人、政治家、私をして言わしむれば職業的特権階級、この特権階級の外交と政治問題に対する手段術策が最近非常に変改されたという事が第二の原因であると言わなくてはなりません。

又この数年間、特に欧州戦争以後より最近数年間、我が帝国人民が支那及び満蒙地方に対する**過去から教えられたるところのこの国是遂行に対して余りにも無関心であり、従って政治家が無為無策、曠日彌久に成り行きのまゝにこれを放置致してきたことが、今日こゝに至った**第三の理由なりと私は断言するのであります。（拍手）

この三つの理由について説明を致す自由をお与えくださるならば、**諸君の御承知の通り、満蒙は元来支那の領土ではないのであります。満洲は清朝の元祖即ち愛新覚羅氏から発祥致したるところの地域、満洲族の領土であります。我々の称えております支那とは、支那本土十八省であります**。本土の漢民族は従来満蒙地方に対しては無関心であった。この満蒙地方は、数百年来支那の草刈り場のような状態に置かれてある。従って遊牧民が荒蕪地を彷徨いてしているようないわゆる未開の地として放任して居ったという事は、歴史が明確に我々に教えているのであります。即ち支那も日本も列国斉しくこの荒蕪地に対して大なる関心を持たなかったその間隙に乗じて時の帝政ロシアが一挙にしてシベリアより日本海に出て沿海州を占領し、遂に南下して南満洲を占領致すに至ったという事は、将に支那がこれを統治外の紛争の地として扱って居った一大証拠であります。

一度これらロシア南下の勢力を我が大日本帝国の国威の力で追っ払い、さらに我が国の伝統的平和開放主義の経済政策を樹立致し、ロシアが軍事輸送の目的を以て作ったところの鉄道を南満洲鉄道と改称し、これを経済的に、平和的に、文明的に、開放的に、自由にした。ロシアが旅順に難攻不落の要塞を築いたが、我が日本帝国は何人にも言われぬうちに自ら進んでこの要塞を毀してしまって、満蒙至るところ開放主義を採った。**支那人はもとより列強すべての人に満蒙を開放したのである。**

（四）支那本土より満洲への移住民

馬賊横行の満洲の秩序と平和を確保するがために、日本は年々数百万円の国費を費やして満鉄沿線に軍隊を配置しその秩序維持の目的を達している。故に支那十八省の民族即ち支那文化の中心である揚子江の一帯、或はこれらの沿線という方面にあった支那人はどしどし移住して来る。内乱に次ぐ内乱を以てし、**彼らは生活の安定を得ることが出来なくなったので支那の本土を見捨てゝ今迄は夷狄の地であると言って怖がって居った満洲に移住する。日本の国威と平和政策の下に生存を楽しむべく移住して参ったのであります**。

その移住し来る状態は過去に於いて数十万人、近くは一年間百万人づつ、連続的に支那本土特に山東省方面より水の低きに流れるゝが如き勢を以て流れ込んで来た。二十年前に満洲の人口は僅か五、六百万であるといわれたが、日露戦争後二十年を経た今日に於いては五倍の三千万人を数え得るような盛況を呈しているのであります。然も新たに移住し来ったこれらの支那人は僅か二年か三年で何れも地主となり、財を蓄えて業に安んずる、生産能力、消費能力、購買能力を十分に発揮し得るところの生活の安定した住民と相成ったのであります。諸君、一口に二千五、六百万人、年に百万人の移住民と申しますが、我が日本の政府が年々百万人もの人口増加に苦しんで海外移民を奨励するために骨を折っても、一年に一万人の日本人は海外に出て行かないという事を連想せられたならば、支那本土から毎年百万人づつ満洲に移住するその力が如何に偉大なるものであるかという事は、容易に考えられるのであります。

かくの如き大なる人口の移動は世界の文明史のどの頁を捜してみましても発見することは出来ない。あの満洲に、家を捨て故郷を捨て、僅か二十年の間に二千五、六百万人移住することが出来たのは、そもそも誰のお蔭であるかを我々は考えなくてはなりませぬ。（拍手）言うまでも無く**我が帝国臣民が血税を払い、軍**

費を負担し、治乱荒廃の責任の衝に当たって、この国威を満蒙の天地に及ぼしたる一大恩恵なりと絶叫を致すのであります。（拍手）而も同時にこの三千万の支那人の生産能力購買能力が我々の気づかざる間に一大潜勢力となって、我が同胞にとって一大圧力となり生活上の脅威となるということも争われぬのであります。これ即ち事の今日に至りたる第一の理由であると申して差し支えありませぬ。

又支那は世界に最も古い文明文化を有っている国柄であるけれども、今日の支那人は最早彼らの祖先の示したるが如き偉大なる民族ではありませぬ。彼らの文化は仮死状態に陥っている。私は死んだとは言わない。仮死状態に陥っている支那の政治状態、社会状態、彼ら民族の日々の行動を考えてみて、どこに文化があり、道徳があり、文明があるか。我々はこれを認めることは出来ない。即ち百歩譲って彼らは今や仮死状態に置かれている。論より証拠、支那人の中にも純真な人もいる。支那のある詩人は支那の現状を嘆いてかくの如き事を謳っている。

「麟鳳は遠く飛んで東洋にあり」

麟鳳とは文化であり道徳である。東洋とは日本を指しております。文化道徳は今や遠くに飛んで日本に行ってしまったと言っておる。（拍手）この仮死状態は自己固有の文化文明を捨てゝしまって今の民族は、何を致しているのかといったならば、彼らは今や全く模倣時代に入っている。丁度今頃の薄っぺらな学者が一知半解の外来思想を以て我が日本帝国を傷つけようとする浮薄な態度を学ぶ者があると同様に、**支那は今や模倣時代に入っている**。**彼らのすることなすこと悉くが人真似である**。**この模倣時代の今の支那人に向かって、最も多くの模倣の種を供給しこれに教えた国は二つある**。**一つは我が日本、一つは隣国であるロシアである**。

我々が彼ら支那人に対し日露戦争後に教えたるものは軍事である。**軍隊である**。**文化的に教えたるものは**

教育である。支那の今の百数十ヵ所のこの軍隊は、内容の如何を問わず、その形式は悉く日本の軍隊そのまゝである。彼らの号令のかけ方、彼らの兵営に於ける生活の模様、剣、銃の取り扱い方、歩き方に至るまで、悉く日本軍隊の模倣、人真似である。

（五）支那に於けるソ連の魔手

又支那が採って居ります教育は、これ又我が日本の国に成育しているところの学校教育組織、国民教育組織をそのまゝ採用している状態であります。ただ内容に於いて幾多の変化がある。或は戦後支那に於いて種々なる働きをなし、或は欧米より帰ってきたところの新人が種々なる教育を致しても、大勢は如何ともすることが出来なかった。支那の教育組織は日本をそっくりそのまゝ学んで模倣したと言って差し支えありません。

諸君、皮肉ではありませんか。**我々より学んだ軍隊が、今や我が日本国民を駆逐するところの前衛となって働いているのであります。**或る英国人は極めて皮肉なことを私に言った。「教育の方では先輩である日本の学生はストライキをやり耽弱に日を送っているが、後輩たる支那の学生は政治家となって日本を駆逐する外交運動をしている」と、甚だ痛いところであります。**日本が彼らに教えたるところのものは、要するに軍事であり、教育である。ロシアは支那に何を教えたかと言いますと、ロシアの教えたるものは外交であり、政治である。**山浦貫一君がこの壇上に於いて言及されましたように、**我々日本国民が日露戦争以後暢気に支那を考えている間に、又誤れる日本の外交官が暢気に構えて居眠りをしてい**

る間に、支那に恐るべき政治教育、恐るべき外交手段を教えたるものは、今のソビエト・ロシアであります。

かつて満洲に於いて**郭松齢の反逆事件**が起こった。郭松齢事件について当時の外務大臣であり今日も又外務大臣たる幣原君は「支那の新興勢力が古い政治家張作霖を倒さんがために起こったところの純然たる内政問題である」と言って居ったが、後に至って郭松齢の背後にはロシアの魔の手が伸びて居ったことが判明した。**ソビエト政府が、やがて日本を赤化せんとする踏み台に郭松齢を使って満洲政権の転覆を計ったのであったということを、支那政府がロシア公使館を捜査した結果立証せられたることは、国民の記憶に新しいところである。**而もこの郭松齢の事件に目覚めたる数年間、我が日本の台湾より南にある支那の広東省に、ロシア・ソビエト政府が自ら手を出し、孫文及び今日国民党を通じて四ヵ年の間、これにソビエト式赤化政治運動を教えたのであります。又これをして実力あらしむるために**ロシア人自ら先頭となり、現金を以て、知識を以て、策略を以て、経験を以て、即ち彼らに四ヵ年間この軍事教育、政治教育、外交教育すべてを致したのであります。**これらの新たに起こり来ったところの**赤化運動政治家は、我が日本の耳目を避けるために、広東から山越しで揚子江の上流武漢に現れて、そして支那を席巻せんと致したということは、諸君尚御記憶の通りであります。これしも幣原君は単なる支那の内政問題として日本に関係のない様な事を言って居った。**この態度で満蒙に臨んでいるのである。

さてこの赤化運動或は宣伝方法などは、皆ロシアのソビエト政府が或は農民を虐め、或は資本主義を虐め、或は帝国主義者を虐めているその手段のまゝが、今や支那の軍人、政治家によって悉く真似をせられ、実行せられ、これが特に我が日本にとって特殊地域であるところの**満蒙一帯に於いて模範的に行われているという事は、我々と致しまして断じてこれを等閑に付することが出来ません。**のみならず、その外交方針、排外思想は、これを内政に利用し、今蒋介石の下に居るところの王正廷及び顧維鈞の行動、これ悉くソビエト式外交政策であるということはこれを否むることは出来ません。

彼らは不平等条約の撤廃を叫び、関税自主権を叫び、条約によって保証されているところの我が日本の権益を蹂躙する。その主張する手段は、**悉くこのロシアより学んだ帝国主義覆滅、資本主義排撃などの手段方法を応用致して居るのであります**。その満洲に於いて何が行われておりますかというと、この三千万の支那人の大多数の者は農民である。農民が生産するところの農産物を支那官警は殆んどタダで巻き上げる。アメリカから紙幣を印刷致して参って、何ら貨幣準備の基礎を持たないこの貨幣を通用させる軍隊の力を背後に持って無理にこれが流通を図らしめ、農民の作った農産物、豆であるとか、栗であるとか、すべてのものを、この紙幣を以て掻き集める。そして買い上げられたこれらの品物は、大連或は営口、天津、上海という支那の開港場に持って行って、これを外国人に売り渡す。然もダンピングをやってこれを悉く現金に替える。かくて得たるところの現金をもって、満蒙に於いて有望とされ有利とされているところの事業を、或は官警、或は半官半民の経営の名の下に、種々なる美名の下にこれを悉く没収致したその手段は極めて巧妙なものである。

只、紙のような紙幣を以て農産物を取り上げてこれを金に換え、その金をもって有望なる日本人の事業、朝鮮人の事業を悉く取ってしまい、そして官警の力を以て遂には我が南満洲鉄道までも圧迫するために、これらの金或は種々借金した金を以ていわゆる**満鉄包囲鉄道を建設し**、その**借金の元利は一切支払わない**。かくの如き乱暴な方法の下に、今日満洲に於けるところの、**日本の有する利権回収運動が展開**して居る実情であります。

又満蒙に於ける教育はどういう状態にあるかと申しますと、頑是ない子供に対して「中華民国の敵は日本である。我が国をかくかくに苦しめている国は日本で、日本を撃つことが中華民国の使命である」と言って教えている。私は時間もなく、あまりに煩瑣であり、最近は幾多の書物が出ておりますが故に、支那の軍隊に、或は学校教育に如何に排日運動が大胆に行われているかという事実はこゝに申し上げません。誤ったる節約緊縮のビラやスローガンが学校に或は街頭にまで掛けてあるのを御覧でありましょう。これを官吏が国民に口を嗄らして強要致して居るように、支那の官吏、支那の学者は、かような国産愛用、日貨排斥のビラをもって排日思想を頑是なき子供に、又は一般国民に注入している事は、**日本が排日の手段方法を教えているに等しい恐るべき事実**であるのであります。（拍手）

諸君、この支那の政治外交に用いておりますところの手段、而も**この手段を国民に強要致して居るものは、逝ける革命の父孫文である**。この人は恰もアメリカのワシントンのように思われている。アメリカはワシントンによって独立した。支那は孫文によって独立する。そういった気持ちが今日支那の国民を支配して居る。然らば**孫文の国民的指導精神は何か、およそ四つであります**。

曰く第一は、荀くも支那の国家に害ありとするところの対外的関係は一切これを排斥せよ、これが一つ。第二は、荀くも我が中華民国の利益とならざるものがあったならば、条約であれ、約束であれ、地理的関係であれ、如何なる歴史があっても構わない。これは悉く認めないこと、これが二つ。又革命以前即ち清朝時代に支那と外国との間に結ばれたるところの交際は、一切これを認めることはならない。踏みにじって仕舞え。借金は棒引きで認めない、これが第三。而してこの三つの精神を明白にするためには、外国と一々協議したり、相談したりしておっては埒が明かない。一方的宣言によって支那自ら実行致して往けばよいのであるということが第四である。

この指導精神の下に、この政治外交の方法を盲目的に大胆に実行して居るものが、即ち今支那の官警或は支那の国民である。諸君、今や満洲に居る日本人の子供は、満洲で生まれ最早兵役を済ませて満洲に帰って居るという状態である。星移り物変わり、満洲に居るところの日本人は満洲をその墳墓の地とみるにあらざらば居るべき所でないという状態に置かれている。従って国民の中には、或は適者生存の上に不適当なるものがあるでありましょう。けれども、これが如何に勉強いたし、これが如何に努力いたしましょうとも、今の支那の官民のかく如き態度を以て圧迫し、これに対抗を致して参ったならば、どうしてもその生存を継続して行く事は出来ないのであります。即ち、**哀れむべき在満同胞は、日本外交頼むに足らずとなし、彼らは自主同盟を作って傾ける日本の国運宣揚のために犠牲となって倒れる悲壮なる決心を致した。その声低しと雖もその声は悲しい。我々内地人はどうしてもその声に耳を傾けねばならぬ。**かくの如く支那官民の政治外交手段が、すなわち満洲に居るところの日本人の悲しむべき現状を誘致致して居る第二の理由である、と私は断定致すのであります。

また諸君、支那の文明は、我々はこれを如何に判断致さなければならないか、私は大胆に諸君と共に明言いたします。**我が日本帝国の存在を考えずに、どうして支那官民の存在を考えることが出来ますか。**今の満洲に日本がなかったならば、昔のように荒蕪地となって居るか、今の支那の本土のように内乱に次ぐ内乱を以て致して、内外人共に安住し得ざるところの困った状態に陥っていることは、我々は容易にこれを断定することが出来るのであります。

然らざれば彼らの魔手に占領されなくてはなりません。現に我が大日本帝国と直接に交渉のないところの支那の領土を御覧なさい。新疆はどうなって居るか、チベットはどうなって居るか、青島はどうなって居るか、外蒙古の如きに至っては知らない間にロシアに取られてしまった。外蒙古は今や、世界の歴史に於いて支那領土でありながら、ソビエト連邦の一つに加入致して居るではないか。その実権はロシア人の手にあるのである。主権は我々にあると唱える支那人も、自由にこの方面に入って行く事の出来ないという状態に陥って居るのであります。

（七）張作霖爆死事件と民政党

また支那本土十八省は如何なる現状にあるか。彼ら支那人は己の発祥地であり文化の中心である支那本土自らをも治めることが出来ない無能力者であるといって差し支えない。**然らばこの東洋の平和を、狭く言えば満蒙に於けるところの現在の繁栄は、一に大日本帝国の力の賜なりと断定致す事が出来る。**（拍手）またこの使命は我が大日本帝国臣民に天が与えたる重大なる使命なりと言わなくてはならない。

明治大帝が鎖国数百年の夢の醒めた頑是ない国民をして、今日の繁栄の基礎を造られた。その与えられたる国是は何か、曰く、**積極的に海外に発展する事である。我々は何故朝鮮を併合したか、我々は何故日清戦争、日露戦争を戦ったか、我々は何故欧州戦争に直接交渉のない地中海の彼方にまで血を流したか**。これを考え来ったならば、我が国是がどこに在るかという事がお分かりになると思う。この国是に向かって、国民が徹底した決心、努力、注意を持って居ったならば、今の満洲は断じて今日のような状態にはならなかったのである。（拍手）

この国是に徹底せず、朝から晩まで宣伝第一の政治をやって、大多数の国民がその衣食に苦しんでいる間隙に乗じて、暴政、悪政を行って居るこの政治家をして、その失政を大々的に行わしめている暢気なる国民も又その責任を負わなくてはならない。（拍手）

我々政治家がこの問題に対して一半の責任を負わなくてはならないということは、私もこれを認めます。認めますが、今日は立憲政治である。立憲政治に於いては、政治家が国民を指導するのではない。国民が判断し、国民が要求したところに添う政治を行わなくてはなりません。（拍手）

二ヵ年前に、「今や世界は不景気である。この不景気の時に金解禁を断行しなかったならば日本は滅びる。緊縮整理節約を行わなければ日本は滅びる。緊縮整理節約を行い金解禁をやったならば、世界のこの不景気に乗じて日本を楽にする」と言って日本国民を騙したのは今の民政党である。然るにこの二ヵ年、彼らがやった実情は何か。二ヵ年後の今日の国民の生活は二ヵ年前よりも楽だ、と断定し得る者は恐らく七千万人の内一人もない。事実であったならば、誤ったるこの政治家の行った政策について、国民の判断力によりその責任を要求しなければならぬ。（拍手）

然るにこの要求することを忘れて、暢気な面をして、尚、この誤ったる政治家を助ける国民がある間は、この日本の国是は徹底することが出来ないのである。（拍手）

諸君、かつて**張作霖の爆死事件に対し、あの真相を時の政府が調査致した結果を天下に公表することが国家のために利益なりと要求致したものは、今の民政党である。今日の民政党は、天下にこの報告書を発表し得る地位に立っている。然るに何故、彼らは発表しないのか、議会で要求されても、かつて田中内閣が拒んだと同一の理由を以て発表を拒んでいるのは当たり前だ。発表するのが間違って居る。**然らば発表が国民のために利益になり国家のために利益になると宣伝した彼らは、その責任を今日に於いて諸君の前に謝罪しなければならぬ。かゝる場合、而も今の満洲、朝鮮の問題に対し、私情を捨てゝ国家の大局に対し言いたい事も言わずに、これを我慢している政党の節制力に対して、国民の正当なる判断が働かなくてはならない。即ち国是の向かう所に向かって、国民は満蒙問題に対し、支那に対し、十分なるところの働きを示さなくてはならない筈である。

今、我々は眼を転じて、支那満洲に対し世界の眼はどういう風に見ているかを観察致すことも決して無益な事ではありません。今日の支那を最もよく知って居るところの欧米人の支那観というものは、最近大なる変化があるのであります。支那の内乱に次ぐ内乱を以てする現状、支那の政治家、軍閥のなすところの虚偽の態度、これは断じて欧米人の賛同を博すべきところのものでない。支那を知らなかったところの欧米人は、盲目的に支那を助けた。又自然、虚偽を平気でやるところの支那の外交に本気で耳を傾けたが、これはワシントン会議当時の夢である。今や支那の実勢が世界に暴露せられるに及んで、支那を知れるところの欧米人は口を揃えて、「支那最早救うべからず」と断じている。

私はこれは誤りたる観察とは認めない。現に支那に於ける幾多の人々は、支那は絶望的である、救うべからざるものであるという事を、大胆に発言いたしているのである。

（八）解決方法は如何

支那に於けるイギリス人の如きは、特に本国の最近の国状に鑑み憤慨措く能わざるものがある。私の会った人、或は新聞雑誌に発表されたところ、或はクラブ、ゴルフ場、競馬場に於いて彼らの言ったことを総合すると、こういう事を言って居る。

我が英国を滅ぼすものは、今の総理大臣マクドナルド、外務大臣ヘンダーソン、支那公使ランプソン、それらの人々である。大英帝国は何を以て世界に立っているか、いわゆる太陽の没する所のない、世界至る所に於ける英国の権益、而も我々の祖先が非常なる苦心をして作ったところの海外の権益が存在するから、英帝国は優秀なる地歩を獲得していたのである。

然るに誤ったるハイカラな思想の下に、今日は一つの権益を捨て明日は一つの権益を捨てるという様に、英国の死命を制する生命の源泉である海外の権益を悉く捨てゝしまったから、今や大英帝国は落日の如き状態に陥っている。我が帝国を滅ぼしたものはマクドナルドであり、ランプソンである、と憤慨している。これは我々英人が不用意に**日英同盟を破棄致しましたその酬いが来たのである。我々はもう一度、労働党内閣が無くなったならば日英同盟を復活して、東洋の平和を図りたいという声をなす者が百人中九十人までこれ皆然り、という状態にあるのであります**。（拍手）

労働党内閣によって数年の間に於いてマクドナルドの唱えているところの主義、政策がどの程度まで果たして実行されたか。実行されたるところのものは英国の財政、経済の基礎を破壊したことであった。即ち良心のある政治家マクドナルドは労働党を犠牲にして今や沈まんとするところの国家を助けるために、己の内閣を捨てゝ泣く泣く国民に陳謝し、今の連立内閣を作ったという状態であります。この恐るべき英国の落胆する現状に対して憤慨せる英国民が、支那に於けるその権益が失墜して行く現状に対し、在支英国民が痛嘆しているということは、容易に諸君はこれを推察することが出来る。

又米国民に対して我々は、大いなる注意を必要とするのであるが、私はこゝに二つの実例を以て諸君にこの問題に関する解釈を与えたい。

ワシントン会議の当時支那の友人であるかの如く見なされ、最も支那の権益を擁護し、いわゆる我が国の二十一ヵ条、我が国が満洲に於いて獲得したすべての特殊権益を無視致しまして、日本の主張に反対したところのアメリカ人は、当時の支那公使マクマレー氏その人である。ところがこのマクマレー氏は後に支那公使として数年間在勤致しまして、今や職を去ってアメリカの大学の教授を致しているのであるが、このマクマレー氏が支那を去るに臨んで言ったことは何であるか。「支那人救うべからず、かつて彼を助けたる我が態度は誤って居った」という悔恨の言葉であります。(拍手)

又、かつて米国人は、支那大飢饉を救済するために二千万ドルの義捐金を募集しようと計画を進めた。この時に時の米国公使は忠言致しまして、主催者の一人であった米国の赤十字社の理事会に対して、支那の実情を先ず調査されたいということを申請して来たのであります。そこで赤十字社から支那の飢饉の真相を調査すべく調査隊がやって来た。これらの調査隊は支那の奥地、山西の奥までも旅行して十分調べた。これがどういう報告書を書いて居るかというと、かようなことを言って居る。

「支那に数百万人の餓死状態に陥っている飢民が居る事は正にその通りである。けれども自分の承知して居るところによると、飢えたる者は数百万人あるが、これは何も支那の奥に居るためではない。支那の都である北京の城内にも飢餓に泣く飢民は大変多いのである。一体飢饉というものは天然の気候が悪く農作物が出来なくて、そのために食うことが出来なくなるのを飢民という。支那には幾百万の飢民があるが、これは天候の不良のためではない。数年に亘る内乱に次ぐ内乱を以てするその政治状態、その社会状態が悪いから数百万の飢民が出来たのである。天然自然の作用ではないのである。我々外国人が貴重なる金を以て救済すべき人々ではない。支那人自らこの政治状態、社会状態を改善するところの責任がある」と報告して居る。

この報告書を米国の赤十字社理事会が採用いたし、遂にこの二千万ドルの基金募集は沙汰止みになったという事は天下公知の事実である。

また前年ロシアと支那が満洲里地方に於いて衝突し、七万近い支那の軍隊が七、八千のソビエト軍隊のために殲滅されたということは諸君御承知の通りであります。あの事件の起こった時、いったいならば共産主義のロシア人のなす事に対しては、今日欧米人はその国交を断絶したいほどに憎んでいるから、支那人を助ける、少なくとも同情しなければならんのに、支那に居るところの欧米人は、このロシアの正規兵のために破られたのを気味が良いと快心の笑みさえ洩らして居るという。これが今日、支那に居る欧米人の状態である。

私の申し上げたい事は多々あるのでありますが、要するにどうしても現在のまゝではおくことは出来ない。国民は事実を認識して奮起しなければならない。然らばこれを如何に展開するか。**我々は一つの手段方法を有って居る。けれども角力は、この取り組みはこういう手で敵を倒すというようなことを発表致したならば、角力は取れぬ。**過去に於いて外交上に至是の積極を代表した我が立憲政友会の方針にかゝる機会に於いて十分なる真剣認識を与えられまして、この困難を打開する事に御尽力あらん事を御願い致す次第であります。

（終り）

二十二　非常時の非常手段〔一九三二（昭和七）年六月十八日〕

註：これは、経済雑誌のダイヤモンド社が一九三二（昭和七）年七月十一日発行の紙上に載せた同社主催「時局を語る」の会合に於いての質問に対する講演速記である。

記者：
「今日社会の人心が極度に動揺して居る。これに対する御観察及び救済策について、なるべく詳しいお話を願いたいと思います」

《禍根は国民の政治的冷淡にあり》

森：
「私は大体、こんな風に思うのです。今、日本の世相は非常に険悪であるが、陰悪なのは、独り日本ばかりではない。これは一つの世界的現象だ。今、文明人の一番余計に住んで居る所はヨーロッパであるが、そのヨーロッパの人間が近年、科学の進歩というか文化の爛熟というか、一種の享楽本位の思想になって来た。特に、米国式文化がヨーロッパに移って以来一層そうなって来た。それがために、国民が政治というものに昔のような興味を持たなくなって来た。その結果、政治が真面目に扱われなくなったという傾向がある。

英国の如く、立憲政治が割合によく発達した国で、デビッド・ロイド・ジョージ［英国の政治家］のような迎合主義な宣伝第一主義の政治家が十数年政治を握っていた。それで、保守党のある有力なる政治家が、彼の如き迎合政治家が長く英国の政権を握っていては困るというので、遂に再び立つべからざる状態にして彼を倒してしまったが、兎に角あゝいう迎合政治家を英国の一般が迎えなければならぬようになったことは、英国自体の政治的失敗であった。そのために英国の国状は加速的に低下し、今日の英国になってしまったが、日本に於いても同じことが言えると思う。

明治大帝が崩御せられて以来、一般国民が政治に無頓着になって太平が続いた結果、享楽主義の風潮が盛んになって来た。今日の富豪の生活は、徳川時代の大名の生活以上である。つまり国民は、日常生活にのみ興味を持つようになり、政治には無頓着になった。今の言葉でいえば享楽主義である。この傾向が、欧州戦争以来特に激しくなって来た。

私は普通選挙になれば迎合政治、宣伝政治が行われるものと思って居た。普通選挙にも無論良いところがある。立憲政治をやる以上結局、普通選挙はやらねばならぬけれども、同時に悪いところもある。宣伝政治、迎合政治が行われゝば、政治家に責任感が無くなって来る。特に、日本のような欽定憲法を持って居る国に於いては、良い特徴を発揮するよりは弊害が起こる可能性の方が多い。だから日本のような国に於いて普通選挙を布くには、余程大事を取らねばならないと考えて居た。江木衷博士［法学者］は、普通選挙に対して非常なる反対意見を持って居られたという事であるが、当時日本の言論機関や支配階級の連中は、そういった議論に対してはまるで冷評を下して居た。それが一般を政治に無頓着ならしめ今日に至らしめた大なる原因である。

財政経済がどんなに良くても、政治が悪ければ、その良い財政経済の状態は破壊されて行く。政治が良くなくして、財政経済が良くなり国が繁昌する筈はない。

私は、文明人が生活第一主義となりその政治に無頓着となったことが、今日の行き詰まりを招いた有力な原因だと思う。然らば、明治大帝崩御以後今日まで随分長い年数が経って居るが、その間日本の国状が何故比較的行き詰まらなかったのか。

これは一つには、日本の地球上に於ける位置が然らしめたものと思う。東洋文明にしてもその発達の経路、文化向上の経路を見れば、その多くの興亡は大概支那インドを中心に行われて来た。日本は東に偏在して居る島国であったために、何時も良いところだけを吸収し保持する事が出来た。書物にしても、東洋文化の貴重なる書物は大抵日本に在る。これは位置の関係である。

しかし位置の関係から治乱興亡の中心からは超脱して居たが、日本人自体の政治的失敗のために、今日は収拾すべからざる状態に陥ってしまった。だから日本人の政治意識が甦って来て、それが実際問題に触れ、働いていく時代が来ない限り、日本の社会状態も、財政状態も、乃至は生活状態も回復する事が出来ないと思う」

記者：
「そこで差し当たっての問題として、国民は現在の政党や経済機構に対して何というか、一種不満の感じを持っているように思われますが、この点に対して……」

《支配階級の無自覚と大衆の自覚》

森：
「お仰る点は大概分かって居ります。これはこういう事になるのです。つまり、そろそろ日本人に政治意識が出て来た、物に対する判断力が出て来た……潜在的政治意識というものが出て来たために、現実を見ると非常に不満になる。不安である。そこでその不安を脱するために何事かを求めるという気持ちになって来たのであろうと思う。

丁度、維新前の日本の国状に良く似ている。あの当時は、政治を全部侍階級に任せて居た。ところが侍階級は政治に無頓着であった結果、事実と支配階級の考えて居る事とに非常なる隔たりを生じて来た。つまり、事実に即して大地に足を置いて居る下層階級が段々発達して来て、大地に足を付けて居らない支配階級との間に隔たりが出来て、遂に正面衝突によって解決せねばならなくなったのが御維新である。今が丁度、それと同じ時であると思う。ヨーロッパでもそうである。

確かアーサー・ジェイムズ・バルフォア［英国の政治家］だったと思うが、欧州戦争直後にこういうことを言って居る。『ドイツの支払うべき賠償金を関係国が棒引きにして仕舞わらなければ、禍根は何時までも絶えない。これを関係国が権利なりとして、ドイツに負担させて自己の欠陥を補うというセルフィッシュな考えを持って居る限り、ヨーロッパの繁栄は得られない。ヨーロッパの繁栄を得られないのみならず、今最も得意になって居る米国人も、そのうちやれなくなる。遅かれ早かれ、ドイツの借金を棒引きにする時代が来るのだから、今の内にそれを帳消しにして仕舞え』という意見を述べて、盛んに宣伝した。不幸にして世界の識者は、殆んどこれに耳を傾けなかった。ところがその後、その傾向が着々事実の上に現れてきた。米国は賠償金問題にドウズ案［返済方式の緩和］を出すとか、ヤング案［賠償総額も低減］を出すとか、いろいろの提案をして非常に世話を焼いて居る。その理由はどこに在るか。『この賠償金問題を何とかしなければ、米国自身が回復しない。米国自身のために何とかこれを解決しよう』と思ってやったのである。色々やってはみたけれども何れも失敗して、結局まだ苦しんで居る。そうして、今度はローザンス会議［ドイツの賠償を緩和］を開くというのであるが、奇怪な事に米国は出て来ない。それは大統領の選挙を控えて居るからであろうが、こゝに米国人のセルフィッシュな考えが能く現れて居る。つまり、米国の支配階級に世界的意識が働いて居ない。支配階級は目覚めず、セルフィッシュな考えでやって居るのだが、米国の大衆自身は苦しんで居る」

《満洲問題の必然性》

森：

「私は昨年の八月、満洲を旅行して来ているが、その当時私は、満洲は必ず満洲在住の日本人の一致した政治的直接行動によって展開されるということを主張した。

丁度、今の満鉄総裁（内田康哉伯）も大連に居り、また林久次郎君も奉天の総領事として居たが、私はこれらの諸君に対して、必ずそういう時代が来る事を主張したが、皆これを認めなかった。日本に帰って、盛んにその事を主張したが、私を何か宣伝政治家のように言って非難した人も大分あった。

然るに、俄然九月になるとあの事件が起こった。私の言った通りの事が起こって来た。私たちは田中内閣の時に東方会議というものを開いて、『支那問題は従来のようなやり方ではいかん。これは日本の国力によって、積極的に解決しなければならない』ということを主張して来た。ところがあの東方会議は、当時世間から余り受けなかった。民政党の如きは最も強く反対した。その民政党も二ヵ年余の政治の末期には、幣原君も、東方会議の主義そのまゝをやらねばならぬようになってしまった。即ち自己の主張はすっかり捨てゝ、田中内閣の外交方針そのまゝを実行することになった。彼にもし外交官としての信念があったのならば、田中内閣の主張したことをやるのであるから、職を辞めなければならぬ筈である。然るに、『自分は外交技師である。世人の言いなり次第に運転していけばよい』といった調子で続けて来た。世人も大してそれを責めなかった。これも、世人が外交問題に無頓着なる結果である。

日本の外交官は当時何と言ったかというと、『満洲に於いては日本の権益は害されて居らない。一少部分に於いては条約が蹂躙されているという事はあるけれども、大したことはない。要するに、いま支那は政治的立て直しの生みの悩みにある場合であるから、隣国の誼として、日本は大きく構えて、種々の不便はあっても支那を助けるがよい』。これが幣原君などがしばしば言う外交意見であった。新聞の論説も、大概これに賛成である。大学の国際法を講義する先生もそうである。一般も皆これを歓迎していた。

ところが事実はどうであったかといえば、満洲ばかりでない。長江一帯に於いても日本人の権益というものはどんどん侵害されていた。満洲に於いて、特に然り。甚だしきは『日本の小学校の子供が、支那の子供に虐められるので、昼間ひとりで学校に通うことが出来ない。夜になれば、婦人は勿論、十二時頃は相当の紳士でも街を歩けない』という様な状態になった。事実と時の外交官や為政者の言って居る事とはまるで反対で、日本人の権益は大いに侵害されていた。けれども侵害されていないと言って誤魔化していた。事実の認識を誤って居ったのなれば致し方もないが、実は事実を知っていながら平気で誤魔化していたのである。日本に居る為政者、外交官は、国権の保護の下、勝手な事を言って居るのだから良いけれども、満洲に居る出先の者は、現実に自分の生活が脅威されるのだから堪るものではない。これらの人々の政治的意識が働いて来て、遂に直接行動に出るということは当然の成り行きである。

満洲には、朝鮮人が百万、日本人が二十万居る。この百二十万の同胞がそういう気分になって居る。又、あそこに居る日本の軍人は、これを黙って見て居られない。同胞が立てば、一緒に立ってこれを保護しようというのは当たり前である。即ち、**官、民、軍、一致して政治的良心を発動させて、直接行動に出たということは、良いか悪いか知らぬが、必然の成り行きと言わねばならぬ。これが今度の満洲事変である**」

《行き詰まり打破の道》

森：

「**然らば、断崖に差し掛かったようなこの世相を、従来の政党政治で救い得るかといえば、私は断じて救い得ないと思う**。然らば、これをどうしたら良いか、これについて私は大体こう思って居る。

文明人が国をなして生活して行く要旨はどこにあるかといえば、要するに、人間の働き、即ち力を、富に変化させ、国力に変化させるというところに重点がある。その国の資源が非常に多いというだけでは、決してその国の国富、国力が大であるとはいえない。又その国の人間が多いといっても、国富国力が大であるとはいえない。例えば、アフリカ、インド、支那などは極めて資源も豊かであるが、これらの国の国富国力が旺盛であるとは何人も思わない。又、支那の如きは四億の人間がいるが、これを以て国富国力が強大であるとはいえない。

特に資源如きは、科学の進歩、時代の推移によって変わって来る。昨日まで役に立たないと思って居たものが今日は資源になるのだから、問題は人間の力であり、活力である。この活力を如何に国富国力に変化させるかというところに意義があるのである。

その意味に於いて日本を見ると、日本はこの細長い島国の中に七千万の人間が居り、一年百万人の人が増えていく。又、人間個々を見ると中々活力がある。精神的に、肉体的に、歴史の上に養成された文化の潜在力から考えて、世界いづこの国と比較しても負けないだけの活力を持って居る国民である。この活力に基づいて国民の力を活用し、これを国富国力に変化させるに努めるならば、日本は非常に多望なる未来を持っている。そして、世界人類にも貢献することが出来るというのが、私の考え方である。

そうすると、問題はどこにあるかというと、今日本の現状は、日本人のこの活力が十分活用されるようになって居るかどうかという点である。もしこれが活用されるようになって居れば国力は増大する。不幸にして活用されないようになって居れば、これが鬱積して国状不安ということになる。活気横溢している子供を一室に閉じ込めて置けばどうなるか。活気が鬱積して病気になるか非常に暗い人間になる。

こういう見地から日本の現状を診察してみると、ヨーロッパ戦争を一期として日本は世界的にいわゆる箍を嵌められて、一室に閉じ込められたも同様な状態になっている。それは不戦条約を見ればよく分かる。かつて私は大学（東京帝大）のみどり会で、ワシントン条約は従来の如き解釈と取り扱い方をするなら寧ろこれを破壊しなければならぬ、という題目で講演したことがある。その時にある教授などは、酷いことを言うと批評していたが、何故不戦条約なり九ヵ国条約なりが日本に箍を篏めて仕舞ったか、首枷、手枷、足枷を嵌めて仕舞ったかというと、あの条約をずっと研究してみると分かる。こゝではその詳細は省略するが、要するに日本に箍を嵌めたあの条約が存在する限り日本国民は世界という大きな舞台に立って活動する事が出来ない。あの条約が国民を国内に蹈蹐させて居る限り、日本は伸びない。日本の国状は安定されないのである。

その他、国内の事情を見れば、日本には外国にいわれるような大きい資本主義、資本家はありはしない。最近、三井とか三菱とか、その他住友、安田などが多少資本家らしい傾向を帯びて来たが、しかし、ヨーロッパや米国にある資本主義や資本家とは到底比較にならない。加えるに、内地に於いては色々な法律、規格が出来ていて、日本人が自由に活動する事が出来ないようになって居る。時間がないから実例は申し上げないが、最も自由活動の出来そうな言論機関でもそうである。各大新聞の勢力が判然と明らかになって居て、その販路を見ると、他の新聞は自由活動が出来ないようになって居る。こういう風に国民が自由な飛躍が出来なくなって来ることが、今日の社会不安を招致した大原因であると思う。

とすると、これを引き括めてみて、日本国民の将来生きて行く重点はどこにあるか。それは、この外に内に嵌められて居る箍を叩き破るという事が重点でなければならぬ。これが成功せざる限り、私は、日本の国状は安定せず、国運も向上せず、引いては国民個々の生活も安定し得ざるものと確信します」

《東方会議の意義》

森：

「そこで私も政治家の端くれであるから、先ずこれをやる…その箍を叩き破る事が政治家の本務であると思った。**先ず不戦条約、九ヵ国条約、これを精神的に叩き破れ、国際連盟などは日本に何の利益があるか。あんな所に何のためにわざわざ日本が乗り出して行かねばならぬのか…。これを現実に打ち破る実行手段として編み出したものが、東方会議である**。

それはどういう人物で構成したかというと、時の内閣の外交に関する者、外務省、陸海軍、大蔵省、外に出て居る軍の首脳部、朝鮮総督、関東軍司令官、在支公使など、いわゆる外交に関する首脳を皆集めて来た。軍にしても参謀本部、軍令部は基より、今の台湾の軍司令官をして居る阿部（信行）君、陸軍大臣の荒木（貞夫）君、欧州に行って居る松井（石根）君、今本省を退いて居る南（次郎）君、死んだ畑（英太郎）君、当時関東軍司令官をして居た武藤（信義）君、これらが皆当時の委員である。いわゆる日本の権威を一堂に集めて、忌憚のない意見を交換して、真面目に国策を研究していこうというのが**東方会議**であった。

その内容は、今日はもう差し障りがないから発表してよいが、要点だけを申し上げるとこういうことである。

満洲の主権は幣原君の言うように満洲にあるけれども、しかし主権は支那にのみあるのではない。その主権には日本も参与する権利がある。だから、満洲の治安維持には日本が当たる。満洲は国防の第一線であるから日本が守る。それから満蒙の経済的開発には機会均等門戸解放の主義を取る。以上の要点を実行するために、もしこゝに障害が起これば、その障害が仮令支那自体から来ようとも、乃至北から来ようとも南から

来ようとも東から来ようとも、それに対して日本は国力を以てこれに反抗する。露骨にいえばロシアが邪魔すれば、ロシアに対して国力を発動する。英国米国が反対すれば国力を以てこれを排撃する。兎に角、満蒙の事は日本が主としてやるというのが主眼である。

　これらの事を、当時の総理大臣、外務大臣を兼攝していた田中さんが東京駐在の各国大使を招んで伝達した。在外使臣には電報を以て伝達し、それぞれ当該国に通告させた。これだけの事をして居るのである。**然るに当時、この通告を受けた国から抗議一つも来て居らない。無論、支那政府にも通告して居るが、支那からさえも抗議が来て居らない。**この東方会議の後に山東が乱れた。張作霖が関内の兵を率いて関外に乗り出して来た。その時に我々は、南北で戦争を始められては迷惑であるというので、**武力干渉をして戦争を止めさせたのである。その時にも、公々然と東方会議の精神に基づいて声明書を出して各国に発表しているが、どこの国でも少しも怪しんで居りはしない。即ちあの時に九ヵ国条約、不戦条約は従来の取り扱いと全く異なる取り扱いを受ける事となり、精神的には従来の形ははっきり破れて居るのだ。**だから、その後の民政党内閣三ヵ年というものが無かったならば、明白にこれが確実になった訳だが、不幸にして民政党三ヵ年の外交の間に撚が元に戻って仕舞ったのである。

　それをまた元に帰したのが今度の**満洲事件**である。この点を我々は良く考えなければならぬ。要するに、**日本人の自由活動を封鎖して居る九ヵ国条約、不戦条約を今迄と異なった運用によって、少なくとも東洋に於いて日本人が自由に活動する事の出来るようにしよう、というのが我々の主旨である。これは日本人の生存上の権利である。**この権利を回復しようというのである。これが出来れば日本人は立派に活躍が出来る」

《東洋モンロー主義》

森：

「国際連盟に対しても同様である。最近、確か二月二十三日であったと思うが、犬養内閣の時に**国際連盟理事会に対して一つの回答文を出した**。あの回答文は日本の外交上、非常に意義のあるものである。当時世人はこれを余り重大には扱わなかった。寧ろそれを知らないくらいであった。それはどういうことかというと、従来、九ヵ国条約でも、不戦条約でも、すべての前提条件として支那を組織ある国家と認めていた。即ち対等の実力を持った法治国家の如き国家と認めて、これを扱って来た。

然るに、二月二十三日の回答文に於いては、**日本は支那を組織有る国家と認めないと断言して仕舞った。こゝで不戦条約、九ヵ国条約の根底たる前提を日本がはっきりと破ったのである。**日本の対外的国策というものは、国民全体の意識するとせざるに拘わらず、事実は既に決定して居るのである。従って、この日本の行動に反対するものとは、遅かれ早かれ正面衝突は免れないということを覚悟しなければならない。事実、一般民衆は未だ気づいて居らぬかもしれないが、政治そのものがその方向にどんどん進んで居る事を我々は認めねばならぬ。

（この間速記中止）

そういうように国是は既に決まって居る。この頃の流行り言葉で言えば、**東洋モンロー主義である。先般、私はラジオで『亜細亜に還れ』という表題で演説したが、その内容は要するに、『日本は国際連盟などに乗り出してお世話を焼く必要はない。そんなことは当該国に任せておけ。一体、国際連盟などは世界平和のための連盟ではなくして、欧州平和のための連盟である。あんなものから日本は速やかに脱退して、亜細亜に**

還って亜細亜七、八億の人間の生活安定のために努力するのが日本の天職である。少なくとも東洋に於いては、日本人が自由活動の出来る様な外交上の成功を得なければならぬ。かくして、東洋に於いて日本が自由に活動が出来るとすれば、これによって日本の産業を復興する事が出来る。日本の産業が復興すれば、この七千万の人口を擁し人口増加率の盛んな日本も立派に立っていかれる。今のまゝで、毛色の変った人間を米国や南米に移住させようと言ったところで問題の解決は中々出来るものではない』ということである。これが私の一つの狙いどころである。

だが、これだけの外交に成功しようとすれば、必ずやこれを成功させまいというものが出て来るに決まって居る。我々はこれに対抗しなければならぬ。対抗するためには準備が必要である。然るに内を見れば、今日の財政経済機構は最早日本人生活の実状にそぐわない。例えば最近の農村の五十億の負債をどうするか、中流以下の生活苦をどうするか、色々解決を要する問題が残されて居るが、この解決を現在の経済機構でやれるかといえばやれない。やろうと思えばこの財政経済機構に一つの圧力を加えて新たなる方法で解決しなければならぬ。それをやろうとすれば、彼の方この方でギャーギャー騒ぐ。しかしその声に驚いて逡巡して居ったのでは何時まで経っても日本の生きる途は疎通しない。これだけの事を実行しようと思えば、どうしても今日の財政経済機構を変えて行くより他に途はない」

《政治家と軍部との提携が必要》

森‥

「私は政治家として、最近一つの考え方を持って居る。**日本はいわゆる非常手段によって国運の転換をしなければならぬような時代になった。そこでこれをやるにはどうすればよいかというと、挙国一致の力によってやるより他に方法がない**。

国のために幸か不幸かは人の批評に任せるが、少なくとも幸であると思って居るのは、我々が東方会議に於いて外交的に積極的にやろうといった議論が満洲問題発生以来国民に受け入れられた事である。即ち、満洲問題は国力を以て解決せよという呼び声が、昨年以来、日本全国に澎湃として起こって来た。たまたま政友会がこれを主張するものであり、たまたま民政党はこれを主張せざるものであった。

そこで私は総選挙には政友会が必ず勝つと思った。しかし、当時我々の中でも、政友会が三百名の絶対多数を取ると主張した者は少なかった。誰もこれを信用しなかった。内務省の役人すらこれを信用しなかった。私はその時、『三百名は取れる』と言う、役人たちは『そんなには取れない。二百七十名以下だろう』と言う。『もし取れたらどうする』『取れたら御馳走しよう』と言うのであったが、到頭私はこれらの役人たちに御馳走させて仕舞った。そこで三百四名を取ったということはどういうことかというと、これは割合から見れば四百六十六名の内三百四名だから約七割弱である。七割と言えば、これを色分けして遠くから見れば一色である。即ち一国一党の色彩を持つものである。**今日は一国一党の勢いを以て非常時対策を行わなければならぬ秋である**。然るに、幸にして我が党は七割弱の絶対多数を取った。これは正に一国一党である。これで以て思い切ったことをやって行かれる。

即ち我々は国運展開のために断乎たる抜本政策を実行する事を企てたのであるが、不幸にして失敗に終わった。一国一党を挙げて立つようなことは一つも出来なかった。僅かに外交面で一部分が実行されただけで、内政上の事は皆失敗に終わった。その結果、我が党総裁まで犠牲にしてしまったのは返す返すも残念な事である。この**一国一党の手段によって国政を転換しようとした私共の主張**が破壊されたということの責任は、私共自らがこれを負わなければならない。そこで**犬養内閣が倒れた後にどういう風にするかというと、私の意見では、今日の世相ではどうしても二大勢力が固く結んで国策を協定して行かねばならぬ。二大勢力とは即ち軍部と政党であるが、これが固く結んで行かなければ到底この非常時匡救は出来ない。だから私は今の総裁にもこう進言した。**『もし幸にして我が党総裁に大命が降下したならば、我々は軍部と固く結んで、三百四名の一国一党を揚げて時局匡救に当たって行うが、もし不幸にして大命が他に下った場合には、この三百四名を時局匡救のために提供する態度を執る事にしたい』と進言した。これは私の便宜手段ではない。そうなればならぬと確く信じての事である。これをやらなければ日本の国状は通らない。そして今言った通り、対外的には日本人が自由に活動できるようにし、対内的には財政経済機構を中心にして、言葉を和らげて言えば、これを矯めるようにして行かねばならぬと思うのである」

《勤労主義に帰れ》

森：「日本は建国の初めから勤労主義国である。戦国時代は勿論、徳川の鎖国時代も、何れも勤労によって建設されて居る。この勤労主義に立ち帰らなければならぬ。即ち勤労主義であるから、言うことなすこと悉く事実に即している。すべて事実が元である。こゝに立ち帰らなければ日本は立ち直らぬ。農村が今日の窮境に立って居るのは、農村にこの勤労主義が無くなった結果であって、農村自らも責任を負わねばならぬものである。愛知県の碧海郡辺りの農村は比較的よく行って居るというのは、要するに勤労主義が残って居る結果である。ところが今の国状は、如何に勤労主義に立ち直ろうと思っても立ち直れぬようになって居る。即ち農村には今五十億の負債がある。これを何とか軽めてやる工夫をしなければ、勤労主義に帰ろうとしても帰る事が出来ない。そういったような意味に於いて、私はこの農村或は田舎を通じての大負債をして徳政を布くといったような意味に於ける政治的な解決をしなければ駄目だと思う。

それから産業にしても自由産業主義は止めにして、国家がこれをもう少し立ち入って世話をしていかねばならない。私はいわゆる国家社会主義を主張するのではない。国家社会主義という様な、形を以てすべてを律して行こうというやり方には私は反対である。これは自由意志から来るものでなければならぬ。国家非常時には、国家利益のために最善の対策を講じていくというのは、これは強制ではない。自由意志から来るものである。だから私の言うことは、外観上は国家社会主義の様であるけれども実はそうではない。

個々の例について見れば、例えば米である。百姓をするといえば必ず米を作るものと自他ともに認めて居り、食糧問題といえば米の事であるように考えられて居るほど、米は大切なものである。そういうものを自由に放って居るのはいかぬ。特に、これを投機の目的物として扱わせておくということは間違っている。百姓が一生懸命に働いて或る程度の米を作れば、生活を維持するに足りるだけの金が必ず入ってくるような事にしなければいかぬ。また消費者の方でも、一定の労力で一定の金を作れば、何時如何なる時でもそれで食うことの出来る米を手に入れる事には困らぬということでなければならぬ。それをするためには国家が或る程度の世話を焼かねばならぬ。だから今のところ、米は専売にするとか何んとか一種の統制下に置くが良いと思う。

生糸にしてもそうである。**一体今日の文明でその国の富が盛んになるという重要なる手段は、自分の国に**

特長があって他の国に特長がないものを作るということである。即ち英国がかつて石炭に重きを置き、ノルウェーが船舶に重きを置き、米国が石油に重きを置いたという様な意味に於いて、日本が生糸を中心にして繊維工業を発展させて行くということは、これは日本の非常なる特長である。最近人造絹糸が日本に於いて発達したというのは気候の関係もありましょうが、兎に角日本人が糸を扱う天賦の才能に恵まれているためである。だからこの生糸に対しては、どうしても国家が世話を焼くべきである。現在でもかなり犠牲を払って居るが、もっと進んで国の業とすべきものと思う。

その他漁業の如きも、日本は四界海を囲らして、特に世界の内でフィッシュ・ミールが食糧の重要なる地位を占めている国である。これにもっと国家の統制力を働かせる必要がある。又、日本人はナビゲーションに非常なる特長を持って居る。これなども国家が世話を焼く必要があると思っている。

同時にこういう物に国家が力を入れていくということになると、金融機関なども到底今日の現状でいかないから、**銀行とか保険などは宜しく国家が統制すべきである**」

《非常時の非常手段》

森：

「ところで、これらの事を実行しようという場合に、現在の政治経済を以てよくこれらをなし得るかといえば、遺憾ながらなし得ない。これは非常手段に俟つの他に途はない。即ち、**政治家と軍人がこの際結束して一団となり、国の建て直しをする時代が来たものであると思う**。

以上が大体、ご質問のこの不安状態に処する方策についての私の見方であります」

記者：
「非常手段と言われるが、それは…」

森：
「場合によっては…
（この間速記中止）
…**今はそういう時代が来たのである。だから軍人と政治家が結束して一大決心を持ってやる。特に、政治家は常に先頭に立ってやらなければならない。だが、それだけの強い決心と力を持つ政治家が果たして現在あるかどうか。又あっても、国民がその政治家を躍らすだけの認識があるかどうか。**

この点については私は、**国民全体が政治ということにもう少し関心を持たねばならぬ、従来のように無関心、無頓着であっては、断じて行かぬと思う。**ところがどこへ行ってみても現状維持論者が一番多い。特に成功者の集まって居る所は皆現状維持派である」

記者：
「いや、そうではありませんよ。我々のような優しい雑誌でも今日では現状維持ではありません」

森：

「優しいんですか。（笑声）近頃、軍人に対して乱暴だというような批評も聞くが、多数中には乱暴な人もありましょう。けれども乱暴な人のあるのは軍人ばかりではない。各方面にあります。

軍部の中に入って行けば、国というものを、それは真剣に考えています。又政治家だってそうです。一概に政治家は腐敗して居るという。成程悪いところだけを挙げると、それぐらい腐敗して居るものはないでしょう。けれども、政治家というものはいわばガラス張りの箱の中に入って仕事をしているようなもので、四方八方からその行動が透き通って見える。だから比較的腐敗して居るように見えるけれども、仮に今批評の位置に立って居る者を政治家のようにガラス張りの箱に入れて批評して御覧なさい。恐らく政治家以上だと思う。

私はどうしても日本の将来は政治家の手によらなければならないと、確く信じております。かつて或る大きな会社の社長が政治家の悪口を言ったから、私は、『君は大きなことを言うが、それでは、君たちのバランス・シートを出して見ろ。政治家を攻撃するようなことを一々拾い上げていったら、君たちの方が却って縛られるぞ』と言ったことがある。

新聞などに筆を執っている人は自由主義の極めて明るい意見の持ち主であるが、社長は立派な資本家である。だから、批判するならば御互いにかれこれ言って居る秋ではない。すべてが因縁情実を一切水に流してかからねばならぬ。私共は政治家である。その政治家が今かくようなことを言って居る。その心事を一般が諒解して呉れなければいけない。

丁度今の時局は、身体の一部に腫れ物が出来たようなものだ。これは麻酔をかけて仮死状態にして切開するより他はない。そして病源が取れゝば健康体になる。それと同じで、今の立憲政治には一時麻酔をかけなければならぬとすら思って居るのです」

記者：「立憲政治の一時的麻酔というと…」

森：「どこの国を見ても、五、六十年間同じ政治をやって来たというのは一つの成功である。明治維新以来太平が続いて来たというのは、私は憲法政治のお蔭であると思う。だから私は、憲法政治というものはどこまでも守らなければならないと思って居る。

けれども今日は、国民は政治に無頓着になっている。憲法政治は国民が無頓着では発達するものではない。つまりこゝに大きい癌腫が出来て居る。これを取り除かなければならないが、憲法政治は妥協政治であるから、荒療法は憲法政治では出来ない。

而も今日は非常時であるから荒療治も止むを得ないし、またそれを要求して来て居るのだと私は思って居る」

おわりに

我々は日頃如何なる時でも如何なる場所でも、心に留め置く事が生じた場合には書き留めて置くことが必要であることを森恪から学んだのである。

睡眠時にふとアイデアが生ずる時がある。反芻するも起床時には皆目思い出すことが出来ない事は日常経験する事である。凡人ならば然りである。そのため、このような場合でも点灯し書き留めて置く事が必要である事を経験から学んでいる。

私事であるが過年『―日本の命運を担って活躍した外交官―芳澤謙吉　波乱の生涯』を上程した所以で芳澤謙吉翁顕彰会の方々との交遊が生まれ、その縁で芳澤御一族の方々とも縁故になった。

その由縁で平成二十七年八月二日、新潟県上越市大覚寺で営まれた「芳澤謙吉五十回忌法要」に同席の栄誉を頂戴した。また、御斎の席では献杯の音頭という二重の栄誉を頂戴した。

前日には顕彰会主催の茶会、謙吉翁所縁の記念品の一般公開、「祖父を語る」という演目でお孫さんの緒方貞子女史（独立行政法人国際協力機構特別フェロー・元国連難民高等弁務官）と井口武夫氏（元ニュージーランド大使）の講演会が地域の方々の熱い思いの中で開催され、中でも教育関係者が多数参加され、若き後世に伝えるべき訓戒を得ようとされている姿に感激し、郷土の偉人から学ぶ伝統の力を感じ、うらやましくなった。

義父犬養毅翁の掛け軸が掛かっている御斎の場で座がにぎやかになった頃を見計らい、緒方貞子女史に近寄りこっそりと犬養毅首相暗殺の五・一五事件に触れさせていただいた。女史は言葉を選びつゝ、当時を思い出すかの様に「森恪は悪い人です」と呟かれたのが印象的であったことを記して稿を閉じる。

参考・引用文献

近代日中関係史年表編集委員会編：『近代日中関係史年表　一七九九―一九四九』　岩波書店　二〇〇六年
小峰和夫：『満洲―起源・植民・覇権―』　御茶の水書房　一九九一年
山浦貫一編：『森恪』　高山書院　一九四三年
山浦貫一編：『東亜新体制の先駆　森恪』　森恪傳記編纂會　一九四〇年
山浦貫一：『森恪は生きて居る』　高山書院　一九四一年
木村幸治：『本懐・宰相　原敬―原敬日記をひもとく』　熊谷印刷出版部　二〇〇八年
山本条太郎翁伝記編纂会編：『山本条太郎伝記』　明治百年史叢書　原書房　一九八三年
小島直記：『小説三井物産（上・下）』　講談社文庫　一九八二年
犬養健：『山本条太郎と犬養毅、森恪』　新文明　第一〇巻第七号　昭和三五年七月号
鷲尾義直編：『犬養木堂伝』（明治百年史叢書　第七五巻）　上巻　原書房　一九六八年
長谷川峻：『山座圓次郎―大陸外交の先駆』　時事通信社　一九六七年
樋口正士：『福岡が生んだ硬骨鬼才外交官　山座圓次郎』　カクワークス社　二〇一六年
田中義一伝記刊行会：『田中義一伝記』上巻　田中義一伝記刊行会　一九五八年
田中義一伝記刊行会：『田中義一伝記』下巻　田中義一伝記刊行会　一九六〇年
古島一雄：『一老政治家の回想』　中公文庫　一九七五年
井上寿一：『政友会と民政党―戦前の二大政党制に何を学ぶか』　中公新書　二〇一二年
岡崎久彦：『幣原喜重郎とその時代』　ＰＨＰ文庫　二〇一四年

参考・引用文献

竹山道雄：『昭和の精神史』　中央公論新社　二〇一一年
広田弘毅伝記刊行会編：『広田弘毅』　葦書房　一九九二年
矢部貞治：『近衛文麿』　光人社NF文庫　一九九三年
幣原喜重郎：『外交五十年』　中央公論新社　一九八七年
秦郁彦：『昭和史の謎を追う（上）』　文藝春秋　一九九九年
犬養木堂伝刊行会編：『犬養木堂伝』　人京社　一九三二年
山陽新聞社編：『話せばわかる』　犬養毅とその時代　山陽新聞社出版局　一九八二年
戸川猪佐武：『犬養毅と青年将校』　昭和の宰相　第一巻　講談社　一九八二年
近衛文麿：『失はれし政治　近衛文麿公の手記』　朝日新聞社　一九四六年
植原悦二郎：『日本民権発達史』　第弐巻　日本民主協会　一九五八年
植原悦二郎：『八十路の憶出』　植原悦二郎回顧録刊行　一九六三年
高坂邦彦：『清沢洌と植原悦二郎―戦前日本の外交批評と憲法論議』　銀河書房新社ネットワーク　二〇〇一年
五味幸男・浜広匡：『五・一五事件の謎―浜大尉の思想と行動』　鳥影社　一九九六年
木戸幸一：『木戸幸一日記』　上巻　東京大学出版会　一九六六年
猪木正道：『軍国日本の興亡―日清戦争から日中戦争へ』　中公新書　一九九五年
木村時夫：『北一輝と二・二六事件の陰謀』　恒文社　一九九六年
酒井哲哉：『大正デモクラシー体制の崩壊―内政と外交』　東京大学出版会　一九九二年
原田熊雄：『西園寺公と政局』　岩波書店　第一巻～第八巻　一九五〇～一九五二年
若槻禮次郎：『明治・大正・昭和政界秘史　古風庵回顧録』　講談社学術文庫　一九八三年

芳澤謙吉：『外交六十年』 自由アジア社 一九五八年
樋口正士：『―日本の命運を担って活躍した外交官―芳澤謙吉 波瀾の生涯』 グッドタイム出版 二〇一三年
愛新覚羅溥儀著 小野忍・野原四郎・新島淳良・丸山昇翻訳：『わが半生』上・下 ちくま文庫 一九九二年
駒井徳三：『大陸への悲願』 大日本雄弁会 講談社 一九五二年
ボリス・スラヴィンスキー、ドミトリー・スラヴィンスキー共著 加藤幸廣訳：『中国革命とソ連―抗日戦までの舞台裏（一九一七―三七年）』 共同通信社 二〇〇二年
樋口正士：『薮のかなた―中華公使・佐分利貞男変死事件―』 グッドタイム出版 二〇一四年
川田稔：『満州事変と政党政治』 講談社〈講談社選書メチエ〉 二〇一〇年
小林龍夫・島田俊彦編：『現代史資料七 満洲事変』 みすず書房 二〇〇四年
小林龍夫・島田俊彦・稲葉正夫編：『現代史資料一一 続・満洲事変』 みすず書房 二〇〇四年
小林龍夫・島田俊彦・稲葉正夫編：『現代史資料一二 日中戦争 四』 みすず書房 二〇〇四年
藤井一行：『田中上奏文』研究 検証の旅 二〇〇七年
松本清張：『昭和史発掘４』 文春文庫 二〇〇五年
臼井勝美：『満洲国と国際連盟』 吉川弘文館 一九九五年
戸部良一：『日本陸軍と中国「支那通」にみる夢と蹉跌』 講談社 一九九九年
佐々木到一：『ある軍人の自伝』 普通社 一九三八年
森島守人：『陰謀・暗殺・軍刀―一外交官の回想―』 岩波新書 一九五〇年
塚瀬進：『満洲の日本人』 吉川弘文館 二〇〇四年
塚瀬進：『満洲国―「民族協和」の実像』 吉川弘文館 一九九八年

参考・引用文献

ねず・まさし：『現代史の断面・満州帝国の成立』　校倉書房　一九九〇年
宮脇順子：『世界史のなかの満洲帝国と日本』　ＰＨＰ新書　二〇一〇年
古屋哲夫：『日中戦争』岩波新書　一九八五年
原田勝正：『満鉄』　岩波新書　一九八一年
加藤聖文：『満鉄全史―「国策会社」の全貌』　講談社選書メチエ　二〇〇六年
山本有造編：『「満洲国」の研究』　緑蔭書房　一九九五年
山室信一：『キメラ―満洲国の肖像―』　中公新書　一九九三年
原覚天：『満鉄調査部とアジア』　世界書院　一九八六年
緒方貞子：『満州事変―政策の形成過程―』　岩波書店　二〇一一年
日本国際政治学会太平洋戦争原因研究部編集：『太平洋戦争への道』（４）日中戦争―開戦外交史　朝日新聞社　一九六三年
児島襄：『日中戦争１』　文春文庫　一九八八年
ラルフ・タウンゼント著・田中秀雄・先田賢紀智訳：『暗黒大陸「中国の真実」』　芙蓉書房出版　二〇〇七年
渡部昇一：『昭和史「松本清張と私」』　ビジネス社　二〇〇五年
半藤一利：『昭和史　一九二六－一九四五』　平凡社　二〇〇四年
鶴見祐輔：『世伝　後藤新平　３　―台湾時代』　藤原書店　二〇〇五年
鶴見祐輔：『世伝　後藤新平　４　―満鉄時代』　藤原書店　二〇〇五年
鶴見祐輔：『世伝　後藤新平　５　―第二次桂内閣時代』　藤原書店　二〇〇五年
鶴見祐輔：『世伝　後藤新平　６　―寺内内閣時代』　藤原書店　二〇〇五年
戸川猪佐武：『昭和の宰相　第二巻「近衛文麿と重臣たち」』　講談社　一九八二年

白鳥令編：『日本の内閣　Ⅰ』新評論　一九八一年
白鳥令編：『日本の内閣　Ⅱ』新評論　一九八一年
J・ダワー著・大窪愿二訳：『吉田茂とその時代　上』TBSブリタニカ　一九八一年
山本七平：『派閥』南想社　一九八六年
早坂茂三：『宰相の器』クレスト社　一九九二年
後藤田正晴：『政治とは何か』講談社　一九八八年
後藤田正晴：『内閣官房長官』講談社　一九八九年

【著者プロフィール】

樋口正士（ひぐち まさひと）

１９４２（昭和１７）年　東京都町田市生まれ
日本泌尿器科学会認定専門医　医学博士

著書　『石原莞爾将帥見聞記―達観した生涯の蔭の壮絶闘病録―』（原人舎）
『―日本の命運を担って活躍した外交官―芳澤謙吉波瀾の生涯』（グッドタイム出版）
『下剋上大元帥―張作霖爆殺事件―』（グッドタイム出版）
『薮のかなた―駐華公使・佐分利貞男変死事件―』（グッドタイム出版）
『ＡＲＡ密約―リットン調査団の陰謀―』（カクワークス社）
『捨石たらん！満蒙開拓移民の父　東宮鉄男』（カクワークス社）
『福岡が生んだ硬骨鬼才外交官　山座圓次郎』（カクワークス社）

趣味　家庭菜園

東亜新秩序の先駆　森恪―補遺―

2018年1月1日　初版第1刷発行

著　　者　樋口正士
発 行 人　福永成秀
発 行 所　株式会社カクワークス社
〒150-0043　東京都渋谷区道玄坂2-18-11　サンモール道玄坂212
電話　03(5428)8468　ファクス03(6416)1295
ホームページ　http://kakuworks.com

印刷・製本　日本ハイコム株式会社
装　　丁　なかじま制作
D　T　P　スタジオエビスケ

ISBN978-4-907424-16-9